S0-BYT-004

ZUM HELLENISMUS
IN DEN SCHRIFTEN VON NAG HAMMADI

mit Beiträgen von

Alexander Böhlig und Frederik Wisse

1975

OTTO HARRASSOWITZ · WIESBADEN

CIP-Kurztitelaufnahme der Deutschen Bibliothek

Böhlig , Alexander

Zum Hellenismus in den Schriften von Nag Hammadi.
(Göttinger Orientforschungen: Reihe 6, Hellenistica; Bd. 2)
ISBN 3-447-01694-9

NE: Wisse , Frederik:

Diese Arbeit ist im Sonderforschungsbereich 13
— Orientalistik mit besonderer Berücksichtigung der Religions- und Kulturgeschichte des Vorderen und Mittleren Orients —,
Universität Göttingen, entstanden und wurde auf seine Veranlassung
unter Verwendung der ihm von der Deutschen Forschungsgemeinschaft
zur Verfügung gestellten Mittel gedruckt.

Gesamtherstellung: A. W. Betz, Tübingen
Printed in Germany

INHALTSVERZEICHNIS

ZUR EINFÜHRUNG

von

Alexander Böhlig

Ein Unternehmen, das den Synkretismus im Vorderen Orient bearbeitet, wäre unvollständig bearbeitet, würde nicht ein gesondertes Teilprojekt die Problematik Griechentum und Orient behandeln. Besonders die Zeit der hellenistischen Epoche im weiteren Sinne (Hellenismus und römische Zeit einschließlich Spätantike) ist dabei auf die griechischen Einflüsse im Orient zu untersuchen. Gewiß bestanden auch schon vor dieser Zeit genügend Beziehungen zwischen Griechentum und Orient. Die große griechische Kolonisation hatte vom 8. Jh. ab die Griechen in den Osten und Westen des Mittelmeerraumes geführt, so daß Cicero später sagen konnte, daß dem Barbarenlande gewissermaßen ein Saum griechischer Erde angewebt worden sei[1]. Doch handelte es sich hierbei mehr um ein Einwirken der materiellen Kultur der Griechen auf den Osten, während in der frühen und klassischen Epoche die Griechen auf dem Gebiet der Geisteskultur Anregungen aus dem Orient angenommen zu haben scheinen. Die fortschreitende Erschließung alt-

---

1) De re publ. II, 9.

orientalischer Quellen aus Vorderasien und Ägypten hat verschiedentlich die Aufmerksamkeit auch der klassischen Philologen und Orientalisten auf diese Frage gelenkt. Für Ägypten läßt sich bei dem inzwischen erreichten Stand der Ägyptologie doch aussagen, daß die Ägypter in erster Linie Praktiker waren und wahrscheinlich dadurch den Griechen wichtige Einsichten in das Material bieten konnten[2], doch läßt sich gerade bei einem so wichtigen Gebiet wie der Medizin auch zeigen, daß hier schon ein gewisser Schritt ins Theoretische gewagt wurde, an den die griechischen Ärzte anknüpfen konnten[3]. Wenn allerdings in der philosophischen Literatur Bezug auf Ägypten genommen wird, so ist das noch kein Beweis für die ägyptische Herkunft der Probleme[4]. Die Philosophen möchten eben vom mythischen Glanz dieses uralten Volkes umstrahlt sein, zu dem sie auch durch den Handel und militärische Expeditionen über gute Beziehungen verfügten.

Immer noch sehr problematisch sind die Beziehungen zur iranischen Vorstellungswelt, weil deren Quellenlage immer noch nicht genügend geklärt ist[5]. Daß die Griechen in Kleinasien im Zeitalter der großen Kolonisation mit solchem geistigen Gut über die Lyder und die Perser in Verbindung kamen, ist wohl als si-

---

2) S. MORENZ, Die Begegnung Europas mit Ägypten, Zürich 1969, S. 74 f.

3) S. MORENZ, Die Begegnung a. a. O. 76 f.

4) Wenn Platon im Timaios (20 E ff.) auf Solons Besuch in Ägypten eingeht, so verbindet er hier den Rückgriff auf einen berühmten Mann der eigenen Vergangenheit mit dem auf das alte Ägypten.

5) Das anregende Buch von M. L. WEST, Early greek philosophy and the Orient (Oxford 1971), hat mit dieser Schwierigkeit zu ringen.

cher anzunehmen. Wir wissen nur zu wenig Genaues über diese Tradition, die den Griechen dort bekannt geworden sein kann. Auch ich selber habe diese Problematik schon angerührt und einen Versuch gemacht, Anaximander von hier aus zu erklären[6]. So wenig hier die Forschung zu einem abschließenden Urteil gekommen ist, eines ist eindeutig: Mit dem Eroberungszug Alexanders des Großen beginnt ein so gewaltiger Einfluß des Griechentums auf allen Gebieten, daß es wirklich gerechtfertigt ist, diese Zeit als die des Hellenismus zu bezeichnen. Über die schon vorher bestehenden Handelsbeziehungen hinaus, die für manche Gegenden gewiß eine Bekanntschaft mit dem Leben der Griechen herbeigeführt hatten, bemächtigte sich jetzt das Griechentum aller derjenigen Gebiete, die das Achämenidenreich kontrolliert hatte. Viele Griechen kamen nun in diese Länder. Sie gründeten zusätzlich zu den schon bestehenden Griechenstädten, wie z. B. Naukratis, eine Fülle von neuen Städten und Militärkolonien. Sie brachten ihre Religion, Kultur und Sprache mit. Mochte auch vielerorts eine Trennung zwischen Einheimischen und Griechen bestehen, so bildete sich doch eine Schicht heraus, die sich, angezogen von der griechischen Bildung, um deren Aneignung bemühte. Als Beispiel dafür sei nur auf die Gräkoägypter im Niltal hingewiesen.

Die enge räumliche Verbindung der Griechen mit den Zeugnissen und Kulten der Hochkulturen des Alten Orients regte diese an, über ihren Sinn nachzudenken und sie von ihren eigenen Gedanken aus zu erklären. Das führte zur Interpretatio graeca. Aber auch die

---

6) A. BÖHLIG, Mysterion und Wahrheit, Leiden 1968, S. 17.

Gedanken des Orients konnten zu einer Umgestaltung der griechischen Vorstellung führen. Es gilt also zu prüfen, inwieweit originalgriechisches Gedankengut unverfälscht im Orient aufgenommen wurde und inwieweit das griechische Gut durch ein orientalisches Filter gegangen ist. Diese Grade der Hellenisierung und Enthellenisierung sind sorgfältig zu scheiden und es muß immer gefragt werden, wo hier der Synkretismus vorliegt, der ja das besondere Charakteristikum dieser Zeit ist.

Daß dieser Hellenismus des Ostmittelmeerraumes auch für den modernen Europäer noch von Interesse ist, liegt an den mannigfaltigen Beeinflussungen, die unsere europäische Kultur durch ihn erfahren hat. Das Erbe der griechischen Antike, insbesondere in seiner hellenistischen und spätantiken Form, sowie die Weltreligionen Judentum und Christentum haben bis in die Neue und Neueste Zeit hinein bei der Gestaltung des Weltbildes und der Lebensauffassung im Abendland mitgewirkt. Wenn sich der moderne Mensch wirklich kritisch verstehen will, kann er das nicht, ohne seine Verwurzelung in der Vergangenheit zu analysieren. Außerdem steht das Abendland gerade in der Gegenwart dem Orient aufs neue in einer politischen und kulturellen Auseinandersetzung gegenüber, die grundsätzliche Fragen aufwirft. Das Teilprojekt G des Sonderforschungsbereiches 13 "Der hellenistische Beitrag zum Synkretismus im Vorderen Orient" hat es also zum Ziel, mit den Ergebnissen seiner historisch-philologischen Forschungen auch dem modernen Menschen zu einem besseren Selbstverständnis zu verhelfen und zu der Möglichkeit, sich mit dem Vorderen Orient auch in Gegenwartsfragen besser auseinandersetzen zu können.

Bei der Bedeutung der Religion für den Vorderen Orient in Geschichte und Gegenwart hat die Arbeit mit den Religionen sowie den religiös-philosophischen Strömungen zu beginnen und deren Selbstdarstellung unter dem Aspekt des Synkretismus zu untersuchen. Berücksichtigt man, eine wie bedeutende Rolle das Christentum im Ostmittelmeerraum gespielt hat, daß hier die großen dogmatischen Streitigkeiten ausgetragen wurden, deren Ergebnis noch heute gültige Bekenntnisschriften, aber auch eine außerordentliche Zersplitterung der Kirchen des Orients ist, daß andererseits nicht nur das Griechische, die große Verkehrssprache bis zur Araberzeit, von diesen Kirchen gebraucht wurde, sondern gerade die Christianisierung auch die Entstehung von Nationalliteraturen in den Landessprachen förderte, so wird deutlich, daß der Prozeß von Hellenisierung und Enthellenisierung gerade am orientalischen Christentum vorrangig untersucht werden kann und muß. Eine solche Untersuchung kann aber wirklich fruchtbar nur sein, wenn man sie auch auf das Judentum ausdehnt. Das Christentum ist ja aus dem Judentum entstanden, so daß es für die Beurteilung hellenistischer Elemente sehr wichtig sein kann, wenn man feststellt, ob sie bereits über das Judentum ins Christentum gelangt sind. Außerdem lebten Judentum und Christentum in ständiger Auseinandersetzung miteinander, so daß auch aus den Zeugnissen davon für das zu behandelnde Thema neue Einsichten gewonnen werden können. Nicht zuletzt ist aber auch ein weites Feld die hellenistische Beeinflussung des Judentums überhaupt, ohne daß die Fragen auf Grund von Problemen der christlichen Geistesgeschichte gestellt werden. Außer den beiden genannten Weltreligionen muß ergänzend aber auch den Formen griechischer Religion und Weltanschauung, wie sie sich im

Orient ausgebildet und entwickelt haben, ein angemessener Forschungsanteil eingeräumt werden. Sie sind nicht nur auf ihre Verbreitung hin zu untersuchen, sondern es muß vor allem ihrer etwa vom Orient bedingten Eigenart nachgegangen werden. Ferner ist der Zusammenhang mit christlicher und jüdischer Theologie zu erforschen.

So ist die gesamte Arbeit nur durch das ständige Zusammenwirken von Forschern auf dem Gebiete des christlichen Orients, der Judaistik und der Gräzistik möglich.

Zwei Stichworte charakterisieren diese Arbeit am besten: Hermeneutik und Schulen. Es ist zu erforschen, wie groß die Rezeptionsfähigkeit des Orients für Hellenisches und Hellenistisches war bzw. die Bereitschaft dazu, weiterhin in welchem Maße solche rezipierten Gedanken schulmäßig zusammengefaßt und weitertradiert wurden. Zur Lösung dieser Fragen müssen drei Bereiche der Forschung besonders herangezogen werden: 1. die Kultgeschichte, 2. die Ideengeschichte, 3. die Sprachwissenschaft. Diese drei Bereiche greifen dabei natürlich ineinander über. Kultgeschichte kann auf Ideengeschichte wirken und umgekehrt von ihr neu interpretiert werden. Bei alledem kommt dem Problem der Sprache eine besondere Bedeutung zu. Die kongeniale Übersetzung griechischer Texte in orientalische Sprachen stellt nicht nur an die Ausdrucksfähigkeit der Übersetzer hohe Anforderungen, sondern auch an die Ausdrucksfähigkeit der Sprachen selbst. Nicht immer sind Sprache und Übersetzer diesen Anforderungen gewachsen. Doch nicht nur Übersetzungstexte, sondern auch Originaltexte sind daraufhin zu überprüfen, inwieweit sie etwa von griechischer Begriffsbildung beeinflußt sind oder in Wortschatz und Syntax Anleihen machen. Die Ideengeschichte kann ohne solche sprachwissenschaftliche Arbeit nicht zu eindeutigen Ergebnissen kommen. So ist z. B. zu klären, ob der Begriffsinhalt in einer Sprache anders als in einer anderen übersetzt wird oder ob es sich dabei um eine andere Interpretation handelt. Wenn etwa im koptischen Neuen Testament νοῦς mit "Herz" übersetzt wird, muß man daran denken, daß im Ägyptischen das Herz eine Zentralvorstellung der Geistigkeit bildet. Solche sprachlichen Untersuchungen können natürlich nicht auf eine orientalische Sprache beschränkt werden, sondern müssen für alle Sprachen des christlichen Orients durchgeführt werden. Das Ziel dieser Untersuchungen ist die Lösung der Frage, ob die konfessionelle Zersplitterung der orientalischen Kirche etwa auf eine mangelnde Rezeptionsfähigkeit gegenüber der hellenistischen Theologie von Byzanz zurückgeführt werden kann. Am Ende müßte ein vergleichendes Wörterbuch der Begriffssprache des christlichen Orients stehen, aus dem die Rezeptionsfähigkeit der einzelnen Literaturen und Gruppen zu ersehen ist; allerdings muß dabei auch berücksichtigt werden, inwieweit die betreffende Sprache für die Übersetzung eines Begriffes und seine inhaltliche Wiedergabe bzw. Umformung selber verantwortlich ist, also eine semantische Eigenart vorliegt, oder ob die Umformung bereits in der Sprache erfolgt war, aus der der vorliegende Text weiter übersetzt wurde, es sich also um ein textgeschichtliches Problem handelt. Für die Ideengeschichte sind gewisse typische Ausdrucksformen mit heranzuziehen und gesondert zu behandeln, z. B. die Arithmologie. Die Erfassung der Welt in der Zahl ist eine der bedeutsamsten Entdeckungen des Griechentums. Christliche, gnostizistische, griechische, hellenistische und jüdische Schriften sind deshalb u. a. auch nach dem Gesichtspunkt durchzuarbeiten, wo hier Abhängigkeit von dieser griechischen Denkform vorliegt oder wo die Zahl nur noch Mittel entarteter Spielerei ist.

Um die Voraussetzungen zu erschließen, die für eine Übernahme griechischen Gutes vorhanden sind, muß die Philosophie und ihr Schulbetrieb im Vorderen Orient auf Eigenheiten ebenso wie auf dessen Einwirkungen auf christlichen Orient und Judentum durchgearbeitet werden. Der Platonismus liefert hier, teilweise in Konkurrenz mit dem Stoizismus, zunächst weniger mit dem Aristotelismus, einen gemeinsamen metaphysischen und kosmologischen Hintergrund, der auch bei dem jüdischen Denker Philon, in zahlreichen späthellenistischen Pseudepigrapha profaner, jüdischer und christlicher Provenienz sowie in Schriften des Gnostizismus und der Hermetik sichtbar wird.

Das Fach des christlichen Orients hatte deshalb bei seinen Untersuchungen mit den Häretikern zu beginnen, die gerade in der Frühzeit des Christentums im Vorderen Orient beträchtlichen Einfluß gewonnen hatten; von der Auseinandersetzung mit ihnen wurde ja auch die christliche Dogmenbildung der ersten Jahrhunderte stark beeinflußt. Es ist darum nur folgerichtig, wenn der Anfang mit der Suche nach hellenischen und hellenistischen Elementen in dem Fund von Nag Hammadi gemacht wurde. Im vorliegenden Band sollen erste Ergebnisse größerer Arbeiten geboten werden, über deren Programm bereits auf dem Deutschen Orientalistentag in Lübeck 1972 berichtet wurde.

DIE GRIECHISCHE SCHULE
UND DIE BIBLIOTHEK VON NAG HAMMADI

von

Alexander Böhlig

Als ich im Jahre 1966 für das Kolloquium von Messina einen Beitrag über die jüdischen Elemente in gewissen Schriften von Nag Hammadi vorlegte[1], warnte R. McL. WILSON bei voller Würdigung dieser Untersuchung davor, die griechischen Einflüsse zu vernachlässigen[2]. Ich konnte damals in einem Postscriptum demgegenüber darauf hinweisen, daß ich ja selbst in meinem Kommentar zur Schrift ohne Titel des Codex II auf hellenistische Elemente, die Auseinandersetzung mit Hesiod, Amor und Psyche sowie die Verwendung der Astrologie aufmerksam gemacht hatte[3]. Es wäre in der Tat höchst einseitig, wollte man die Bearbeitung der Texte

---

1) A. BÖHLIG, Der jüdische und judenchristliche Hintergrund in gnostischen Texten von Nag Hammadi, in: Le origini dello Gnosticismo herausgegeben von U. BIANCHI, Leiden 1967, S. 109 - 140; auch A. BÖHLIG, Mysterion und Wahrheit, Leiden 1968, S. 80 bis 111.

2) Le origini, a. a. O. 693.

3) Le origini, a. a. O. 705 f.

von Nag Hammadi nicht auch unter dem Gesichtspunkt betreiben, welche hellenischen und hellenistischen Einflüsse in ihnen zu finden sind, wie diese in sie hineingekommen sind und welche Bedeutung ihnen in literarischer, religiöser und philosophischer Hinsicht zukommt. Wenn hierbei "hellenisch" und "hellenistisch" getrennt wird, so soll damit betont werden, daß "hellenistisch" nicht mit "hellenisch" identisch ist, wenn im Hellenistischen auch das Hellenische enthalten ist; doch wird ihm darin oft eine neue Gestalt gegeben. Es ist also zu untersuchen, welche Denkform in hellenischer und welche in hellenistischer Gestalt auf unsere Texte eingewirkt hat. Wieweit schließlich Synkretismus als die besondere Methode dieser Epoche am Werke war, um die sich begegnenden geistigen und kulturellen Kräfte zu vereinigen, und welche hermeneutischen Probleme sich daraus ergeben, das zu bearbeiten ist die Aufgabe des neuen Forschungsunternehmens. Synkretismus und Gnostizismus dürfen dabei nicht gleichgesetzt werden. Der Gnostizismus ist eine religiös-philosophische Weltanschauung, die auch Gemeinde bildende Kraft besaß, in der synkretistisch geprägten Welt des Hellenismus. Andererseits ist der Gnostizismus auch in sich synkretistisch, insofern als er die verschiedensten philosophischen, mythologischen und religiösen Vorstellungen in seinen Systembildungen verarbeitet und zudem noch einen stark pluralistischen Zug im Verhältnis der einzelnen gnostischen Gruppen aufweist.

Das zentrale Problem des Gnostizismus ist die Rückkehr der Seele zur Lichtheimat, aus der sie durch eine Krise in die körperliche Welt verschlagen worden ist. Als Mittel der Darstellung dient für den Prozeß des Falles und der Erlösung der Mythos. Wer meint, daß hier nur spielerische Akkumulationen abstruser Vorstellungen vorlägen, befindet sich im Irrtum. Im Gnostizismus wird der Mythos zur Wiedergabe eines systematischen Gedankens gebraucht. Man muß diese Darstellungsform im Rahmen der antiken Geistesgeschichte sehen. Mythos der Griechen und Heilsgeschichte der Juden treffen bei der Konzipierung des gnostischen Mythos zusammen. Für die jeweiligen Einzelaussagen bietet sich der Kulturkreis an, der zur jeweiligen Frage am plastischsten Material beisteuern kann, sei es von seiner Mythosophie, Theologie oder Philosophie her. Daß gelegentlich die Freude an Zahlenreihen, harmonischen Zusammenstellungen von mythologischen Größen zur Ausuferung führt, ist nicht zu bestreiten, doch sollten solche Beispiele nicht als wesenhaft für den Gnostizismus angesehen werden. Leider haben die Texte des Codex Askewianus und des Codex Brucianus[4], die von den gnostischen Originalwerken als erste bekannt geworden waren und gerade recht starke Züge der Entartung aufweisen, das Bild des Gnostizismus vorbelastet und die Frage aufkommen lassen, ob in ihm nicht eine unverständliche Sammlung und Kompilation abstruser Vorstellungen und Kultgebräuche vorliege. Mancher hält es deshalb kaum der Mühe wert, mythologische Texte, die auch in Nag Hammadi vorkommen, auf einen sinnvollen Zusammenhang zu prüfen. Daß ein Werk wie die Schrift ohne Titel aus dem Codex II[5], das Johannes-

---

4) Koptisch-gnostische Schriften, Bd. 1: Die Pistis Sophia. Die beiden Bücher des Jeu. Unbekanntes altgnostisches Werk, herausgegeben von C. SCHMIDT, 3. Aufl. von W. TILL, Berlin 1962.

5) NH II 5 : 97,24 - 127,17 = 145,24 - 175,17 ed. A. BÖHLIG - P. LABIB, Berlin 1962.

apokryphon[6] oder das Ägypterevangelium[7] trotz der Kompilation aus verschiedenen Traditionsstücken einen durchgehenden Gedankengang besitzen, dürfte erwiesen sein. Die Verwendung von Zahlenspekulation, Astrologie und Magie kann ebenfalls nicht als Grund angesehen werden, solche Texte primitiven Kreisen zuzuweisen. Mit Hilfe der Zahl hatte das frühe Griechentum das All zu erfassen versucht und damit eine der großartigsten Erfindungen gemacht, wie gerade moderne Naturwissenschaftler (EDDINGTON, HEISENBERG)[8] bestätigen. Die Unterscheidung zwischen Astronomie und Astrologie, wie wir sie heute vornehmen, war zu einer Zeit noch nicht fertig abgeschlossen, die für beides oft den Terminus "astrologia" gebrauchte. Die Trennung vollzog sich erst nach und nach. Magie schließlich drang, wie wir aus dem Neuplatonismus wissen, auch in philosophische Kreise ein. Das mag uns heute sehr merkwürdig anmuten, doch sollten wir einmal an die Horoskope in unseren Zeitschriften denken, die ja durchaus auch von Intellektuellen gelesen werden. Es dürfte sich bei den Benutzern der Schriften von Nag Hammadi durchaus um Gebildete handeln, die mindestens dem Mittelstand angehören. Die Übersetzung ins Koptische kann auf eine Schicht hinweisen, die W. SCHUBART als "Gräkoägypter"

---

6) NH II,1 : 1,1 - 32,9 = IV,1 : 1,1 - 49,28; NH III,1 : 1,1 - 40,11 ed. M. KRAUSE - P. LABIB, Wiesbaden 1962; BG 8502,2 : 19,6 - 77,7 ed. W. TILL, 2. Aufl. H. M. SCHENKE, Berlin 1972.

7) NH III,2 : 40,12 - 69,20 und IV,2 : 50,1 - 81 Ende ed. A. BÖHLIG - F. WISSE - P. LABIB, Leiden 1974. Deutsche Übersetzung von A. BÖHLIG, GOF VI,1, Wiesbaden 1974.

8) Vgl. W. KRANZ, Vorsokratische Denker, Berlin 1939, S. 11.

bezeichnet[9]. Übersetzungsfehler zeigen gleichwohl bereits gewisse Unsicherheiten auch im Verständnis auf[10]. Mindestens aber die griechischen Vorlagen wurden von Autoren abgefaßt, die griechische Bildung besaßen.

Wer "Gnosis" erlangen wollte, kam gerade in hellenistischer Zeit ohne Bildung nicht aus, weil einerseits die Gnosis eine umfassende Orientierung über den Menschen und seine Stellung im Kosmos erforderte und andererseits die hellenistische Welt aus der Bildung eine Religion machte. Infolgedessen darf man bei der Behandlung des Gnostizismus nicht Religion und Philosophie als Alternativen ansehen, wie im Streit zwischen H. H. SCHAEDER[11] und G. WIDENGREN[12], von denen der erstere Mani als besonders bedeutsam wegen des hohen Maßes seiner Denkrationalisierung einschätzte, während letzterer eine solche Fragestellung bei der Beurteilung eines Religionsstifters als nicht sinnvoll betrachtete. Beide Forscher gehen m. E. an einem wesentlichen Zug, der die Zeit des Hellenismus im weiteren Sinne kennzeichnet, vorbei, nämlich, daß es sich bei Mani um eine Religion handelt, die schon nach den Worten ihres Stifters den Charakter eines Systems haben sollte.

---

9) W. SCHUBART, Einführung in die Papyruskunde, Berlin 1918; vgl. insbesondere S. 309 ff., 379 f. M. E. kann man dieser Schicht allerdings noch eine größere Vertrautheit mit höherer griechischer Literatur zuschreiben, als dies SCHUBART tut.

10) Vgl. ⲤⲞⲞⲨⲚ statt ⲈⲞⲞⲨ für δόξα NH IV,2 : 52,17; III,2 : 63,2 ⲠⲚⲞⲨⲦⲈ aus Ⲡϯ mißverstanden u. a.

11) H. H. SCHAEDER, Urform und Fortbildungen des manichäischen Systems, Leipzig 1927, S. 73.

12) G. WIDENGREN, Mani und der Manichäismus, Stuttgart 1961, S. 136 ff.

Was die christliche Religion und ihre Kirche im Laufe der Zeit entwickelte, Kanon, regula fidei und theologisches Weltbild, das hat hier bereits der Stifter der Religion versucht zu gestalten. Wird man sich klar, daß Mani ja auch Gnostiker war, allerdings einer, der sich nicht auf die Begründung einer αἵρεσις beschränkte, sondern sein theologisch geformtes religiöses Denken und Fühlen durch eine großangelegte kirchliche Mission verbreiten wollte, so findet man dennoch denselben Nährboden, aus dem auch die Gnostiker des 2. Jh.'s stammen, Theologie in Verbindung mit Philosophie. Dieses Miteinander ist für die griechische Geistesgeschichte nichts Neues. Bereits in der ältesten Epoche griechischen Denkens findet, wie W. JAEGER so eindringlich gezeigt hat[13], ein Geben und Nehmen zwischen religiöser und philosophischer Weltschau statt. Daß sich hier die Lehre von der Göttlichkeit der Seele entwickelt, ist eines der wichtigsten Ergebnisse dieser Theologie[14]. Die Bemühung um sie konnte zeitweilig, zumindest bei Sokrates, das Interesse an der Kosmologie zurückdrängen, Platon aber verbindet wieder beides und auch Aristoteles treibt ebenso wie er θεολογία im Rahmen einer auf den Höhen des Geistes wandelnden Philosophie. Sokrates und Platon hatten es dabei als eine besondere Aufgabe angesehen, sich um die Seele zu sorgen. Sie taten dies zugleich in ihrer Bemühung um den Polisstaat. In der hellenistischen Zeit, als der Polisstaat seine Bedeutung verliert, wendet sich die Pai-

---

13) W. JAEGER, Die Theologie der frühen griechischen Denker, Stuttgart 1953.

14) W. JAEGER, Die Theologie, Kap. 5: Der Ursprung der Lehre von der Göttlichkeit der Seele, a. a. O. 88 ff.

deia immer mehr an den einzelnen, merkwürdigerweise in dem Zeitalter, das die Schule so sehr kultiviert. Nicht die Utopie will man zeichnen, sondern dem einzelnen Menschen hic et nunc vorführen, wie er sich verhalten soll und kann. Dabei greift man auf die Erklärung des Kosmos zurück, der ja durch die Fortschritte der Forschung immer größer wird, aber auch in höherem Maße erschlossen ist. Dadurch aber, daß die hellenistische Welt das griechische Geistesgut den breiten Massen der Gebildeten gewissermaßen aus zweiter Hand bietet, verliert die Bildung ihre Originalität. Aus diesem Grunde mag manches auch in den gnostischen Schriften schlagwortartig wirken. Eines dürfte aber klar sein: Wer das gnostische Schrifttum richtig analysieren will, kann es nicht tun, ohne dazu auch den Einfluß der griechischen Schule von der Elementarschule bis zur Philosophenschule herangezogen zu haben[15]. Dabei ist ganz besonders darauf hinzuweisen, daß in dieser Zeit auch die Rhetorenschule sich mit Gegenständen der Religion zu beschäftigen hat.

Der Beginn schulischer Erziehung ist der Erlernung des Alphabets gewidmet. Wie wichtig diese Aufgabe ist, hatte bereits Aristoteles ausgesprochen[16]. Man betrachtete die Buchstaben mit einer "religiösen Ehrfurcht". Man sieht sie als kosmische Elemente an. Die sieben Vokale werden den sieben Noten der Tonleiter und den sieben Engeln, die den sieben Planeten vorste-

---

15) Zu allen Problemen der Schule vgl. vor allem H. J. MARROU, Geschichte der Erziehung im klassischen Altertum, Freiburg 1957. (Franz. Neuausgabe Paris 1960.)

16) Polit. VIII 1338a 15 - 17, 36 - 40.

hen, zugeordnet[17]. Hatte man schon früher ein koptisches Buch veröffentlichen können, das "Über die Mysterien der griechischen Buchstaben"[18] handelte, so fand sich auch in Nag Hammadi ein ähnliches, unserer Fragestellung aber noch näher stehendes Werk. Im Codex X steht ein Text, der an Hand der grammatischen Terminologie die Welt erklärt. Da er sehr schlecht erhalten und die Restaurierung noch nicht abgeschlossen ist, kann noch nichts Endgültiges über ihn gesagt werden. Immerhin wird auch hier die Lehre von den Buchstaben kosmisch gedeutet. Es ist die Rede von den sieben Planeten und zwölf Zodia. Die Lautlehre stellt Entsprechungen zur Benennung (ὀνομασία) der Götter und Engel dar[19]. Ähnlich den Anfängerübungen werden die Konsonanten (σύμφωνα) β, γ, δ, ζ, θ mit den Vokalen α, ε, η, ι, ο, υ, ω verbunden[20]. Kennen wir bisher den Modus der Aufzählung βα, βε, βη, βι, βο, βυ, βω[21], so wird an unserer Stelle die Reihe der genannten Konsonanten zunächst mit α und dann mit jedem anderen Vokal verbunden, βαγαδαζαθα usw. Nachdem man Lesen gelernt und diese Fähigkeit auch angewandt hat, gehörte zu der Ausbildung auch die Erlernung der grammatischen Wissenschaft. Dionysios Thrax ist der klassisch gewordene Grammatiker der griechischen Sprache[22]. Wir fin-

---

17) MARROU, a. a. O. 222.

18) A. HEBBELYNCK, Les mystères des lettres grecques d'après un manuscrit copte-arabe de la bibliothèque Bodleienne d'Oxford, Le Muséon n. s. 1 (1900), S. 5 - 36, 105 - 136, 269 - 300; n. s. 2 (1901), S. 5 - 33, 369 - 414.

19) NH X,2 : 25,13 f.

20) NH X 31,23 - 27.

21) Pap. Guér. Joug. 1 - 8. UPZ I 147, 1 - 18.

22) H. STEINTHAL, Geschichte der Sprachwissenschaft

den in X,2 eine Terminologie, die allerdings nicht auf die seine beschränkt zu sein scheint. So kommt z. B. die φωνὴ ἀδιαίρετος des Aristoteles vor[23]: ⲤⲘⲎ ⲚⲚⲀⲦⲠⲈϢⲈ. Koptisch ⲤⲘⲎ kann aber auch "Vokal" bedeuten[24]. Dabei werden die "einfachen Vokale" α, ε, η, ι, ο, υ, ω aufgezählt[25]. Die Diphthonge werden ebenfalls besprochen[26]. In einer Liste, welche die Laute qualifiziert, finden wir, daß aspirierte Laute höher als nicht-aspirierte sind[27]. Diese Unterscheidung betrifft also Aspiratae und Tenues, zwischen denen die deshalb so genannten Mediae stehen[28]. Auch die Rolle der Konsonanten (σύμφωνα) wird gewürdigt[29]. Die Schrift X,2 gab also ihren Lesern ein Bild des Kosmos, interpretiert an Hand der Lautlehre, so daß wir aus ihr in die verschiedenen Stufen des Unterrichts (Elementarunterricht, wissenschaftliche Grammatik und theologisch-philosophische Deutung) Einblick erhalten. Diese Schrift konnte mit Verständnis nur jemand lesen, der die Schule besucht hatte.

---

bei den Griechen und Römern, Teil 2, 2. Aufl. Berlin 1891, S. 189 ff.

23) Aristot. Poet. 1456 b. Dabei handelt es sich um den unteilbaren Laut. Vgl. auch STEINTHAL, a. a. O. Teil 1, 2. Aufl. Berlin 1890, S. 253. NH X 25,3 steht also ⲤⲘⲎ für φωνή = Laut.

24) Vgl. NH X 26,3. 20. Damit dürfte φωνῆεν = Vokal übersetzt sein. Das im Neutrum übernommene Adjektiv ϨⲀⲠⲖⲞⲨⲚ läßt darauf schließen.

25) NH X 26,21 f.

26) NH X 26,5 ff.

27) NH X 25.4 f.: Die "δασύ" sind vorzüglicher als die "φιλόν".

28) NH X 25,7.

29) NH X 28,3 ff.: "Sie heißen σύμφωνα, weil sie mit Vokal stehen". Vgl. dazu STEINTHAL, a. a. O. Teil 2, S. 192.

Wenn man die Buchstaben erlernt hat, wendet man sich im Unterricht den Klassikern zu. Der Klassiker, dem sich jeder Gebildete einmal gewidmet haben mußte, war zunächst Homer. Davon legen die Papyri ein beredtes Zeugnis ab. Sie zeigen, wie gerade die Griechen, die in den Orient gezogen sind, sich um ihren ποιητής sammeln[30]. Da ist es kein Wunder, wenn auch die Gnostiker sich dieses Dichters bedienen. In der "Exegese über die Seele" wird bei der Schilderung des Schicksals der Seele nicht nur das Alte und das Neue Testament herangezogen, sondern auch Homer, die "Bibel" der Griechen. Hier werden Stellen aus der Odyssee gebracht. Vielleicht hängt das damit zusammen, daß für die Philosophen die Odyssee einen höheren Erziehungswert besaß als die Ilias, soweit man nicht wie Platon die Dichter überhaupt ablehnte. Doch diese schon von Xenophanes begonnene konsequente negative Haltung hatten ja inzwischen die Stoiker wieder überbrückt. Das Schicksal der Seele wird mit Odysseus auf den Irrfahrten verglichen[31]: "Odysseus saß weinend auf der Insel. Betrübt wandte er sein Angesicht ab von Worten der Kalypso und ihren Verführungen und wünschte, seine Stadt zu sehen und den Rauch, der aus ihr aufsteigt. Und wenn er nicht Hilfe vom Himmel erlangt hätte, so wäre er nicht in seine Stadt gekommen". Andererseits wird die Seele auch mit Helena verglichen[32]: "Wieder-

---

30) MARROU, a. a. O. 238 f.

31) NH II,6 : 136,27 - 35. Vgl. Od. 1,48 ff. 4,556 ff. 5,82 ff. 151 ff. 219 f.; 1,57 ff. 13,353 ff. In der Exegesis der Seele ist eine zusammenfassende Paraphrase gegeben.

32) NH II,6 : 136,35 - 137,5; vgl. Od. 4,259 ff. (fast wörtlich wiedergegeben). Es ist NH II 136, 35 f. zu lesen: ⲠⲀⲖⲒⲚ ⲦⲔⲈϨ̣[ⲈⲖⲈ]Ⲛ̣Ⲏ ⲈⲤϪⲰ̣ / [ⲘⲘⲞⲤ ϪⲈ ⲠⲀϨ]ⲎⲦ.

um spricht auch Helena: 'Mein Herz hat sich von mir abgewandt, ich will wieder in mein Haus gehen'. Denn sie seufzte und sprach: 'Aphrodite hat mich irregeleitet und mich aus meiner Stadt herausgeführt. Meine einzige Tochter verließ ich und meinen guten, schönen und wohlgesinnten Gemahl'". Die Verwendung des Homer neben Zitaten aus der heiligen Schrift zeigt, wie bedeutsam und wie präsent seine Kenntnis auch für den gnostischen Leser gewesen sein muß. Daraus kann man auch für diese Schrift nur mit einem Leserkreis rechnen, der die griechische Schule besucht hatte.

Auch die Teile der literarischen Bildung, die in einem verhältnismäßig frühen Stadium des Unterrichts aufgenommen werden, finden später weitere Verarbeitung und darum kann man in einer Szene, deren Behandlung dem Typ nach in die Rhetorenschule gehört, weil diese θαύματα liebt, wahrscheinlich noch das homerische Vorbild sehen. Vielleicht hatten die Leser schon vor der Behandlung in der Rhetorenschule von der Interpretation der Helena durch Stesichoros gehört[33]. Wenn die Archonten sich an Eva vergehen wollen und deshalb diese verwandelt und durch eine andere ersetzt wird, so erinnert das an die ägyptische Helena, die sich selbst in Ägypten befand, während vor Troja nur um ihr Trugbild gekämpft wurde[34].

---

33) Vgl. Plat. Rep. IX 586C u. ö.

34) Eva: NH II,5 : 116,25 - 33 = 164,25 - 33 ed. BÖHLIG - LABIB. Zum Topos der "ägyptischen" Helena vgl. z. B. Tzetzes, Scholien zu Lykophron 113 bis 114 : S. 392 ed. M. C. G. MÜLLER I.

Neben Homer besaß Hesiod ein bedeutsames Ansehen als Mythosoph. Er wurde auch verschiedentlich schon ziemlich früh an die Schüler herangebracht. Mit seiner Theogonie setzt sich die Schrift ohne Titel aus dem Codex II auseinander[35]. Hesiod spricht davon, daß das Chaos zuerst entstand[36]. Der Leser, der die Hesiodstelle für die gnostische Theologie heranzog, muß γένετο aber nicht mit "ward", sondern mit "war" übersetzt haben. Denn im Koptischen steht das Qualitativ. Das mag an dem Gebrauch liegen, der γίνομαι als Ersatz für εἰμί verwenden ließ[37]. Außerdem dürfte aber schon im frühen Griechentum die Frage, woher das Chaos bei Hesiod wurde, nicht weiter zur Diskussion gestanden haben. Ausgangspunkt der gnostischen Schrift ist der Vorsatz, die Behauptung zu widerlegen, daß vor dem Chaos nichts existiere. Aus der Vorstellungswelt des Hesiod begegnet weiter der Tartaros und die Erschütterung des Himmels in abgewandelter Form[38]. Die für Hesiod so wichtige Figur des Eros als des ältesten Gottes wird von der gleichen Schrift an markanter Stelle übernommen[39]. Eros ist die mythische Figur, auf die das sexuelle Leben und die Geburt zurückgeht. Allerdings ist sie nicht ursprünglich; sie ist in die Szene von der Séduction des Archontes eingefügt[40].

---

35) NH II,5 : 97,24 ff. = 145,24 ff. ed. BÖHLIG - LABIB.

36) Theog. 116.

37) LIDDEL - SCOTT - JONES, Greek-English Lexicon, Sp. 340 b.

38) NH II,5 : 102,26 - 103,2 = 150,26 - 151,2 ed. BÖHLIG - LABIB.

39) NH II,5 : 109,1 - 16 = 157,1 - 16 ed. BÖHLIG - LABIB.

40) NH II,5 : 108,7 ff. = 156,7 ff. ed. BÖHLIG -

Wahrscheinlich ist hier an die Stelle bei Hesiod angeknüpft, wo Eros der Begleiter der Aphrodite ist, zumal an dieser Stelle Eros von Himeros gefolgt wird[41], der auch in dem gnostischen Gedankengang seinen Platz findet. Allerdings ist die Urtümlichkeit des Eros wohl in seiner Mannweiblichkeit zum Ausdruck gebracht. Von Hesiod kommend geht der Verfasser des gnostischen Werkes zu der Vorstellung über, die im Märchen von Amor und Psyche durch Apuleius ihren Niederschlag gefunden hat[42]. Neben der literarischen Form bei Apuleius ist diese Tradition durch zahlreiche Plastiken auf uns gekommen[43]. Für den Verfasser der gnostischen Schrift ist die Männlichkeit des Eros Himeros, seine Weiblichkeit die Seele. Daß der Eros eine Größe zwischen Licht und Finsternis ist, darf auf die griechische Vorstellung zurückgeführt werden, daß der Eros eine Geburt der dunklen Nacht und des lichten Tages sei[44]. Die Begattung der Erde durch Eros ist auch bei Aischylos erwähnt[45]. Der Erde folgt das Weib im gnostischen Text[46].

Der Gebildete konnte mit sehr viel mythologischem Gut angesprochen werden, so daß in der Zeit des Synkretismus durchaus auch auf die Pieriden[47] verwiesen

---

LABIB. Vgl. A. BÖHLIG, Mysterion und Wahrheit, a. a. O. 198.

41) Theog. 201.

42) Apuleius metam. IV 28 - VI 24.

43) Vgl. PAULY - WISSOWA, RE VI 531 ff.

44) NH II,5 : 109,16 ff. = 157,16 ff. ed. BÖHLIG - LABIB. Vgl. Akusilaos, FGH 2, fr. 6c.

45) Dan. 44.

46) NH II,5 : 109,22 = 157,22 ed. BÖHLIG - LABIB.

47) NH V,5 : 81,3.

werden konnte. Gelegentlich konnte auch eine Figur aus dem orientalischen Bereich durch eine Gestalt der griechischen Mythologie erklärt werden, so z. B. Noah durch Deukalion[48]. Nicht zuletzt setzen auch neugebildete Namen für gewisse mythologische Figuren griechische Schulbildung voraus, z. B. Μοιροθεά "Schicksalsgöttin"[49], Πλησιθεά "Füllegöttin"[50], Μνησινοῦς "Erinnerungsgeist"[51]. Aus dem literarischen Unterricht stammt auch das Wort "Exegese". Es war der Terminus für die Erklärung des Textes und beinhaltete zunächst einmal die wörtliche Erklärung des Textes nach der sprachlichen Seite und anschließend daran die inhaltliche. Wenn in Codex II eine "Exegese über die Seele" als Titel auftaucht[52], so handelt es sich hierbei um eine erweiterte Bedeutung. Nicht der Wortlaut eines Textes wird hier erklärt, sondern ein Problem, das Schicksal der gefallenen Seele, wird kommentarartig mit Hilfe von Bibel- und Homerstellen erläutert.

Hatte man schon auf einer unteren Stufe des Unterrichts die Anleitung dazu erhalten, wie man Aufsätze schreiben sollte, so war die kunstgemäße Belehrung über alles, was mit schriftlicher und mündlicher Darstellung zusammenhängt, Sache der Rhetoren- und in gewissem Maße auch der Philosophenschule, worüber noch später zu handeln sein wird.

---

48) NH V,5 : 70,19.

49) Z. B. NH VIII,1 (Zostrianos) : 6,30; 30,14 ⲘⲒⲢⲞⲐⲈⲀ, III,2 : 49,4 ⲘⲒⲢⲞⲐⲞⲎ.

50) NH III,2 : 56,6.

51) Z. B. NH III,2 : 64,16; IV,2 : 76,4; V,5 : 84,6.

52) NH II,6 : 127,18; 137,27.

Neben literarischer Bildung stand in der hellenistischen Schule auch Unterricht in Wissenschaften, die dem jungen Mann eine ἐγκύκλιος παιδεία geben sollten[53]. Ebenso wie bei uns wurden aber auch im Hellenismus gewisse Disziplinen immer mehr zu Fachwissenschaften, denen sich nur Spezialisten widmeten[54]. Das mag auch der Grund dafür sein, warum wirklich mathematische wissenschaftliche Ableitungen in gnostischen Texten nicht vorkommen. Es ist ja bekannt, daß die Philosophiestudenten der Neuplatoniker erst die notwendigen mathematischen Kenntnisse nachholen mußten[55]. Nicht umsonst hat Theon von Smyrna in der Mitte des 2. Jh.'s ein Werk über die zum Verständnis Platons nötigen mathematischen Tatsachen verfaßt, in denen er die Anfangsgründe der Arithmetik, Musik und Astronomie darbietet[56]. Man ist auf dem Gebiete der mathematischen Wissenschaften in den Kreisen der Gnostiker auch nicht produktiv, sondern hält sich an feststehende Ergebnisse. Insbesondere ist man sich aber, wie schon erwähnt, der Bedeutung der Zahl bei der Erfassung der himmlischen wie der unteren Welt wohl bewußt. Zahlenspekulationen, die direkt als solche bezeichnet werden, und Gruppen mythologischer Grössen, bei denen die zahlenmäßige Anordnung offensichtlich ist, begegnen in gewissen gnostischen Texten sehr häufig. Allein im Ägypterevangelium finden sich Gruppierungen, die ausgehend von der göttlichen Eins Dyas, Dreiheit, Vierheit, Fünfheit, Sechsheit, Siebenheit,

---

53) Vgl. MARROU, a. a. O. 260 f.

54) Vgl. MARROU, a. a. O. 268 ff.

55) Marinus, Vita Procl. 8.

56) Ed. E. HILLER, Leipzig 1878; J. DUPUIS, Paris 1892 (mit franz. Übersetzung).

Achtheit und Kombinationen von diesen, so 8 x 5 = 40, 7 + 4 = 11, bilden[57]. In anderen Schriften wird auch 9[58] und 10[59] verwendet. Der Eugnostosbrief bietet eine Vorstellung, in der die Zahlen in einer Weise angeführt sind, die allerdings von der Überlieferung her nicht ganz eindeutig ist: die Monas, die Dyas usw., die Dekaden, die Hunderter, die Tausender und die Zehntausender. Dabei wird ausdrücklich hervorgehoben, daß die Zehner über die höheren Zahlen herrschen usw.[60]. Wieweit philosophische Traditionen im einzelnen sich der Zahlen bemächtigen, ist noch im Zusammenhang der Philosophenschule zu untersuchen. Wichtig genug ist aber für die Beurteilung der mathematischen Wissenschaften, daß man an Pythagoras rühmte, er habe als erster die Arithmetik über die Bedürfnisse der Kaufleute zu erheben gewußt[61]. Auch von der Astronomie hat man auf der Schule gewisse Kenntnisse vermittelt. Doch scheint aus den gnostischen Texten nur die Kenntnis hervorzugehen, die astrologisch verwertbar ist. Alle Erkenntnis und Wissenschaft hat eben ihren Sinn als Hilfe zum Heil des Menschen und seiner Seele.

Bei den Griechen hatte seit alter Zeit auch die

---

57) Vgl. A. BÖHLIG, Das Ägypterevangelium von Nag Hammadi (GOF VI,1), Wiesbaden 1974, die Tabelle S. 38 f.

58) NH VI,6 (Über die Achtheit und die Neunheit) : 52,1 - 63,32.

59) Z. B. 10 Himmel in Paulusapokalypse NH V,2 : 24,7.

60) Es soll zum Ausdruck gebracht werden, daß bis zehn gezählt wird, so NH V 7,19 ff; III 78,17 ff.

61) Stob. I : 20,3 ff. ed. WACHSMUTH. Vgl. auch Plat. leg. V, 747 B.

Medizin einen Platz in der allgemeinen Bildung. Aber auch ihr erging es wie den mathematischen Wissenschaften; nach und nach wurde sie als Fachwissenschaft abgesondert. Bedenkt man aber, daß ein so breit gebildeter medizinischer Schriftsteller wie Galen zugleich Philosoph und Philologe war, so kann man verstehen, daß die Verbindung zwischen den Aufgaben und Erkenntnissen der Medizin und den philosophischen Problemen noch vielerorts erhalten war, nicht zuletzt durch das reichhaltige medizinische Schrifttum. Bedenkt man zudem, daß Galen im 2. Jh. gelebt hat und er ganz im Geiste seiner Zeit die Philosophenschulen miteinander ausgleichen wollte, andererseits aber eine "Aufforderung zum Studium der Medizin" schrieb, so liegt es nahe, daß er oder ihm ähnliche Schriftsteller, aus denen er geschöpft hat, auf die Verfasser gnostischer Schriften mindestens als Quelle anatomischer und physiologischer Kenntnisse gewirkt haben[62]. Die eingehende Schilderung von der Schöpfung des Menschen im Johannesapokryphon ist für diese Fragen besonders interessant. Hier wirken die Engel bei der Herstellung des menschlichen Körpers zusammen; die ausführlichere Fassung, die im Codex II vorliegt, hat hier einen Abschnitt eingeschoben, der die Erschaffung jedes einzelnen Körperteils durch einen Engel schildert[63]. Bei der Zahl der Körperteile ist es selbstverständlich, daß die Namen der Engel reine Phantasieprodukte sind.

---

62) Andererseits wird man die philosophische Verarbeitung der Medizin auch in ihrer spekulativen Form gekannt haben. Hier liegt es nahe, im 2. Jh. Einflüsse des Timaios anzunehmen, der gerade um diese Zeit aufs neue ein Gegenstand der Kommentierung wurde.

63) NH II 15,29 - 19,12.

Denn die Zahl erhöht sich ja noch dadurch, daß bei Gliedern, die doppelt vorhanden sind, also rechts und links, jeweils ein besonderer Engel genannt wird. Hier steckt wahrscheinlich hinter der bloßen Beschreibung der Gedanke, daß jeder Körperteil, der doppelt vorhanden ist, auch einzeln, im Falle der Beschädigung seines Pendants, wirksam bleiben kann. Deshalb jeweils ein eigener Engel[64]! Einfacher noch erscheint m. E. die Erklärung, daß der Leib ja als zweifach angesehen wird, weil er aus der rechten und linken Körperseite besteht[65]. Die Terminologie ist zum größten Teil koptisch, eine Anzahl von Bezeichnungen ist aber auch griechisch. Die ganze Darstellung baut deshalb sicher auf griechischer Medizin auf, obwohl man in einem in Ägypten gefundenen und vielleicht dort redigierten Buch versucht wäre auch Einflüsse ägyptischer Medizin zu vermuten. Die Darstellung führt von oben nach unten. Der Verfasser beginnt mit dem Kopf im allgemeinen, es folgen Gehirn (ἐγκέφαλος), Augen und Ohren, Nase, Lippen und Zähne; daran schließt sich an der Schlund (παρίσθμιον), das Gaumenzäpfchen (σταφυλή), die Sehne, der Rückenwirbel (σφόνδυλος), Hals, Schulter, Ellenbogen, Unterarm, Hände, Finger und Fingernägel. Von diesen Extremitäten geht es dann wieder zurück zum Rumpf. Der Verfasser beginnt dort mit Brust und Achselhöhle, es folgt die Leibeshöhle (κοιλία), der Nabel, die Weichteile über dem Nabel (ὑποχόνδριος), die Seiten und Lenden, das Mark und die Knochen, Magen (στόμαχος), Herz, Lunge (πνεύμων), Leber (ἧπαρ), Milz (σπλήν), Därme und Nieren, sodann die

64) Vgl. W. JAEGER, Nemesios von Emesa, Berlin 1914, S. 50.

65) Plat. Tim. 77 D.

Nerven, das Rückgrat, die Venen (φλέψ), die Arterien (ἀρτηρία), der Kreislauf (?)[66], das Fleisch (σάρξ), Gebärmutter und Penis, Hoden, Geschlechtsteile (αἰδοῖον), Schenkel (μηρός), Knie, Schienbeine, Füße, Zehen und Fußnägel[67]. Diese Einzelglieder werden aber erst geschaffen, nachdem den Engeln übergeordnete Mächte, sieben an der Zahl, sieben Seelen geschaffen haben, in denen gewisse Gruppen der Körperteile zusammengefaßt sind[68]. Diese Seelen sollen wahrscheinlich deren Belebtheit ausdrücken: die Knochenseele, die Sehnenseele, die Fleischseele, die Markseele, die Blutseele[69], die Hautseele sowie die Augenlidseele. In Codex III und BG ist an den beiden letzten Stellen von einer Zahnseele und einer Haarseele[70] bzw. einer Hautseele und Haarseele die Rede[71]. Die letzte Form ist m. E. die natürlichste. Außerdem werden noch die Funktionen des Erkenntnisvorgangs von Engeln beherrscht[72], die Sinneswahrnehmungen (αἴσθησις), die Aufnahme (ἀνάλημψις)[73], die Phantasie (φαντασία),

---

66) Wörtlich: "die Lüfte, die in allen Gliedern sind".

67) Verschiedentlich gibt es Unausgeglichenheiten. So ist von manchen doppelten Gliedern nur eine Seite vorhanden. Andererseits sind die Nieren zweimal genannt.

68) NH II 16,27. Vgl. die drei Seelen im Timaios (69 B ff.). Gerade diese Differenzierung der Seele in verschiedene Gruppen weist auf ihren ambivalenten Charakter hin.

69) Vgl. auch NH II,5 : 109,5 = 157,5 ed. BÖHLIG - LABIB.

70) NH III 23,4.6.

71) BG 50,2 f. 4.

72) NH II 17,32 - 18,2.

73) Hier ist die intellektuelle Rezeption gemeint; vgl. LIDDEL - SCOTT - JONES, lexicon, s. v. Im

d. i. die bewußte Aufnahme des Wahrnehmungsbildes, die συγκατάθεσις [74], d. i. die Zustimmung zur Phantasie, der Trieb (ὁρμή), der sich auf das wahrgenommene Objekt hin richtet. Wir haben hier alle Stufen des stoischen Erkenntnisvorganges vor uns, soweit dabei das Wirken der Seele beschrieben wird[75]. Anschließend werden im Johannesapokryphon die vier Urqualitäten genannt, warm und kalt, trocken und feucht[76]. Wenn als ihre Mutter die Hyle bezeichnet wird, so liegt das in ihrem Wesen als Ursubstanz begründet. Ihnen folgen in der Aufzählung die vier Hauptaffekte: Lust (ἡδονή), Schmerz (λύπη), Begierde (ἐπιθυμία) und Furcht (ϨΝⲰϨⲈ als Übersetzung von φόβος). Diese vier γενικὰ πάθη

Zusammenhang entspricht das Wort dem stoischen κατάληψις.

74) ϪⲰⲚϤ ist Übersetzung von συγκατάθεσις. Das koptische ϪⲰⲚϤ entspricht hier der Bedeutung, die auch in SJC III 111,13 vorliegt und durch die Parallelen SJC in BG 112,4 εὐδοκία und in Eug III 87,10 ⲘⲈⲦⲈ gesichert ist. Wenn ϪⲰⲚϤ in AJ II 9,33.35 parallel zu BG 37,7.9 σύμφωνος und III 15,2 σύμφωνον (III 14.23 hat fälschlicherweise in Anlehnung an 14,21 σύζυγος) steht, dürfte das auf die Fehldeutung bei der Übersetzung eines obliquen Kasus von σύμφωνος zurückgehen, der als Form von σύμφωνον = συμφωνία angesehen wurde. Anders verhält es sich mit einer weiteren Stelle in der Beschreibung des Körpers in AJ II 15,27, wo von der Zusammenfügung der Glieder und Gelenke die Rede ist. Hier könnte man an eine Übersetzung von συντυχία denken, oder auch wiederum von συμφωνία. In der Parallelstelle BG 50,10 steht ϨⲰⲢϬ. Vgl. auch PS 243,6 ϨⲰⲢϪ. (Die Übersetzung "Anhäufung" bei SCHMIDT - TILL ist falsch.)

75) M. POHLENZ, Die Stoa, 2. Aufl. Göttingen 1964, S. 59 ff. 88 ff.

76) ϨⲞϬⲂⲈⲤ, ⲰϬⲂⲈ "Frost" ist Versehen für ⲖϬⲂⲈⲤ "Feuchtigkeit"; vgl. CRUM, Dict. 26 a.

finden sich bereits bei Platon[77]. Auch die bei den Stoikern übliche Unterteilung der Hauptaffekte in spezielle Affekte ist vom Verfasser des Zusatzes in der längeren Version des Johannesapokryphons vorgenommen worden[78]. Allerdings macht es den Eindruck, als wenn für den Redaktor nicht schon die Uraffekte, sondern erst die speziellen Affekte πάθη seien. Vielleicht geht aber der gebrauchte Ausdruck auf Unklarheit bei der Übersetzung ins Koptische zurück. Doch ist die Wertung der Affekte hier nicht stoisch, sondern peripatetisch. "Diese alle aber sind von der Art, daß sie nützlich und schlecht sind". Das ist für ein gnostisches Werk eine eigenartige Beurteilung. Von da aus ist es nicht mehr verwunderlich, wenn an der Spitze der "materiellen Seele" eine ἔννοια ihrer (pl.), d. i. der πάθη, Wahrheit steht[79]. Die Zahl der Engel und Mächte, die den Menschen schufen, ist identisch mit der Zahl der Tage, die ein Jahr besitzt (365)[80]. Daß der Mensch als eine Ganzheit aufgefaßt wird, ist aus der Kombination von "seelischem" (ψυχικόν) und "materiellem" (ὑλικόν) Leib (σῶμα) zu erkennen[81]. Als Quelle kann für die Gnostiker vielleicht schon ein spekulatives Werk angesehen werden. Es wird ja für die πάθη zu weiteren Auskünften auf das Buch des Zoroaster verwiesen[82]. Daß aber die griechischen Elemente ein-

---

77) Lach. 191 D. Sinngemäß schon bei Gorgias, fr. 11 (Helena), 14.

78) NH II 18,19 - 19,1. Vgl. POHLENZ, Stoa, a. a. O. 149 f. und Anm.

79) NH II 18,33 f.

80) NH II 19,2 f.

81) NH II 19,3 - 6.

82) NH II 19,10.

deutig erwiesen sind, kann nicht bezweifelt werden.

Wir sahen, daß in gnostischen Texten Vertrautheit mit dem zu finden ist, was die griechische Elementarschule und auch der höhere Unterricht den Schülern bot. Ebenso sind Einflüsse auch der Fächer nachzuweisen, die schon weithin als Spezialwissenschaften galten. Die Behandlung dieses Bildungsgutes an Hand gnostischer Schriften ließ uns erkennen, daß dieses Gut überall zur Weiterentwicklung gnostischer Vorstellungen oder ihrem Erweis dienstbar gemacht wurde. Was hat aber darüber hinaus noch das eigentliche Hochschulstudium den Gnostikern für die Darstellung und vielleicht auch für die innere Entwicklung ihres Systems geboten? Obwohl die Rhetorenschule in ihrer Öffentlichkeitswirkung der Philosophenschule überlegen war, lag es im Wesen der Sache, daß Philosophie für die Gnostiker mehr leisten konnte als das Programm der Rhetorenschule. Dennoch ist auch ihr Beitrag im gnostischen Schrifttum zu erkennen. Mancher der gnostischen Schriftsteller mag von ihr berührt sein, war doch gerade in der Kaiserzeit, in der Politik nicht mehr die Rolle wie im alten Polisstaat für die Schule spielte, ihr Hauptgewicht auf die geistige Bildung übergegangen und die in ihr behandelten Themen weitgehend religiöser Art. Natürlich spielte dabei die formale Ausbildung eine große Rolle, soweit hier nicht schon Grundschule und höhere Bildung genügen konnten.

Ein Beispiel für den Aufbau eines wohlgesetzten Briefes, wie man ihn in der Rhetorenschule lernte, zeigt der Rheginusbrief. Nach einer allgemeinen Einleitung[83] bringt er das Thema[84], dann folgt die Argumentation[85] mit einer kurzen Zusammenfassung am Schluß[86]; an sie schließt sich die Widerlegung an[87]; beendet wird die Darlegung durch einen paränetischen Schluß[88], dem noch ein Nachwort[89] angefügt ist mit der Versicherung, daß die im Brief dargelegte Wahrheit vollständig wiedergegeben sei, der Verfasser aber Rückfragen gern beantworten wolle. Im übrigen wird mit den letzten Sätzen zur Verbreitung der Schrift aufgerufen.

Man übte sich in der Schule auch in der Schilderung von θαύματα. Ein Beispiel dafür ist in der Schrift ohne Titel des Codex II die schon erwähnte Verwandlung der Eva in einen Baum. Wer fühlt sich da nicht an das Schicksal der Daphne erinnert? Metamorphosen, die der moderne Humanist aus Ovid kennt, waren ja bereits in hellenistischer Zeit (2. Jh. v. Chr.) von Nikandros von Kolophon verfaßt worden. Daß dieses θαῦμα in seiner Wurzel auf die Geschichte von der ägyptischen Helena zurückgeht, wurde bereits gesagt[90]. Ist vielleicht auch die Verwandlung Jesu in Simon von Kyrene, die sich bei Basilides[91] und in NH

---

83) NH I 43,25 - 44,3.
84) NH I 44,3 - 12.
85) NH I 44,12 - 47,1.
86) NH I 47,1 - 4.
87) NH I 47,4 - 49,9.
88) NH I 49,9 - 36.
89) NH I 49,37 - 50,16.
90) S. o. S. 19.
91) Iren. adv. haer. I 24. 4.

VII,2[92] findet, durch solche θαύματα aus griechischer Tradition angeregt? Ein solches θαῦμα ist auch die Selbsterneuerung des Phönix, die zu einem Topos der patristischen Literatur geworden ist. Vielleicht ist der ganze Abschnitt in II,5, der Ägypten als ein besonders mit Wundergaben begnadetes Land bezeichnet und ihm Eigenschaften des Paradieses zuschreibt[93], mindestens durch Enkomien der Rhetorenschule mit angeregt.

Doch für den Gnostiker konnte nicht allein die formale Bildung genügen. Gewiß hatte sie ihn im Elementarunterricht zum Lesen und Schreiben geführt, im Literarunterricht zum lebendigen Umgang mit den großen Dichtungen der Vergangenheit verholfen, wenn auch hier durch schulmäßige Kanonsbildung ein Schrumpfungsprozeß eingetreten war. Sie hatte den jungen Menschen auch mit Ergebnissen der Fachwissenschaften bekanntgemacht und schließlich konnte er sich durch rhetorische und dialektische Schulung für die Praxis vorbereiten, in der er als gebildetes Glied eines Weltreiches tätig sein konnte, dessen geistige Kultur vom griechischen Geiste geprägt war. Doch der Gnostiker wollte mehr. Für ihn galt ein gleiches wie für den jungen Polemon, der sich zur Philosophie bekehrt[94]. Eine schöne und reiche Frau wendet sich dem philosophischen Unterricht zu, obwohl sie viel aufgeben muß[95]. Den Übergang von der Rhetorik zur Philosophie können wir besonders

---

92) NH VII,2 : 56,9 ff.

93) NH II,5 : 122,35 ff. = 170,35 ff. ed. BÖHLIG - LABIB.

94) Diog. Laert. IV 16.

95) Diog. Laert. VI 96.

deutlich an Dion von Prusa beobachten[96]. Der Philosoph der Kaiserzeit will nicht nur die Wahrheit, sondern mehr noch die Weisheit gewinnen. Ist nicht das Ziel des Gnostikers das gleiche? Nur geht er von einem religiösen Erlebnis aus. Auch für den Gnostiker konnte der Gedanke Augustins gelten: credo, ut intellegam[97]. Ob der Kirchenvater diese Meinung nicht gerade auch viel leichter nach seiner manichäischen Vergangenheit haben konnte? Um so mehr mußte der Gnostiker darauf bedacht sein, seiner Weltschau die Mittel der Philosophie zunutze zu machen. Diese Mittel konnten zur Lösung der von ihm erkannten Problematik wesentlich beitragen, wie andererseits auch die christliche Botschaft. Das Selbstverständnis des Gnostizismus konnte nicht erfolgen ohne eine Auseinandersetzung mit der griechischen Philosophie und ohne Befruchtung durch sie. Mancher der gnostischen Autoren mag zu Füßen eines Philosophielehrers gesessen haben. Denn so, wie im propädeutischen Unterricht im Rahmen der ἐγκύκλιος παιδεία schon die Anfänge der Rhetorik geübt wurden, konnte man hier auch Anfänge der Philosophie hören. Aber auch außerhalb der Schule, bei den Diatriben wandernder Lehrer, konnte mancher dieses und jenes erfahren, was ihm bei der Lösung der ihn beschäftigenden Fragen von Nutzen war[98]. Die Differenz zwischen

---

96) H. v. ARNIM, Leben und Werke des Dion von Prusa, Berlin 1898, S. 223 f. L. FRANÇOIS, Essai sur Dion Chrysostome, Paris 1921, S. 5 f.

97) Ich verwende wie K. HOLL, Augustins innere Entwicklung, in: Gesammelte Aufsätze zur Kirchengeschichte III, Tübingen 1928, S. 61, die Anselmische Formel.

98) W. CAPELLE - H. J. MARROU, in: RAC III, 990 bis 1009. Die gnostische paränetische Literatur ist

Rhetoren- und Philosophenschule war für ihn schon deshalb kaum wesentlich, weil die Philosophie sich des Rüstzeugs der Rhetorik und die Rhetorik sich des Rüstzeugs der Philosophie bemächtigt hatte. Man denke an Aristoteles und - wenn man beide in einem Atem nennen darf - an Cicero.

Geht nun der Einfluß, den die Philosophenschule auf den Gnostizismus, insbesondere die Schriften von Nag Hammadi, ausübte, auf eine oder mehrere philosophische Richtungen zurück und auf welche? Bezeichnend für dieses Schrifttum ist die Existenz eines philosophischen Synkretismus, wie er bereits sehr eindrucksvoll durch Philon von Alexandria auf jüdischer Seite und Origenes auf der christlichen Seite dargestellt wird. Die Verbreitung philosophischer Lehren im Rahmen einer Popularphilosophie konnte die Kombination von Doktrinen verschiedener Schulen herbeiführen oder mindestens anregen, doch lassen sich deren besonders geartete Termini und Vorstellungen herausarbeiten. Wie es aber dem Wesen des Synkretismus entspricht, sind die Elemente unter einem übergeordneten Gesichtspunkt zusammengefaßt und verarbeitet worden. Die Aufgabe der Gnosisforschung besteht somit darin, erstens die Einzelelemente herauszustellen und zweitens die Neugestaltung und Sinngebung durch den Gnostizismus aufzuzeigen. Besonderer Einfluß ist dem Platonismus, dem Pythagoreismus und dem Stoizismus, weniger dem Aristotelismus zuzuschreiben. Beim Platonismus sollte man nach Möglichkeit alle Entwicklungsstadien verfolgen. Einerseits ist Platon selbst heranzuziehen, dessen Timaios

---

von der Diatribe sicher ebenso beeinflußt wie die christliche.

in hellenistischer Zeit großes Ansehen genoß und gerade vom 2. Jh. n. Chr. ab eifrig kommentiert wurde. Aber nicht nur das Dialogwerk des Platon und speziell die genannte Schrift, sondern auch der ungeschriebene Platon[99] und sein Fortwirken in der alten Akademie können zum Verständnis beitragen. Zugleich muß die Ausprägung bzw. Umgestaltung im Mittel- und Neuplatonismus beobachtet werden[100], wenn auch Plotin zeitlich dem gnostischen Schrifttum des 2. Jh.'s erst nachfolgt. Hier entsteht die Frage, wieweit gewisse Ideen, die Plotin in voller Schärfe entwickelt hat, auf Anregungen des 2. Jh.'s zurückgehen, ja wie sie sowohl für den Gnostizismus vorher und später für Plotin wirksam geworden sind. In den Platonismus waren schon in alter Zeit pythagoreische Elemente eingegangen. In der hellenistischen Zeit tritt eine neupythagoreische Schule hervor[101], die gerade wegen ihrer Verbindung zum Platonismus und der für den Gnostizismus wichtigen Elemente nicht übergangen werden darf. Wenn einmal auch aristotelische Spuren auftauchen, wie wir ja oben bemerkt haben, wird hier der Weg über den Eklektizismus geführt haben[102]. Besondere Aufmerksamkeit muß der Terminolo-

---

99) Vgl. insbesondere K. GAISER, Platons ungeschriebene Lehre, 2. Aufl. Stuttgart 1968. Außer einer ausführlichen Behandlung der Probleme werden hier in einem Anhang "Testimonia Platonica" die wichtigsten in Frage kommenden außerplatonischen Zeugnisse und Berichte gegeben.

100) Für diesen Problemkreis vgl. besonders H. J. KRÄMER, Der Ursprung der Geistmetaphysik, 2. Aufl. Amsterdam 1967. Hier wird Quellenmaterial und Stand der gelehrten Diskussion reichhaltig geboten.

101) KRÄMER, Geistmetaphysik 45.

102) S. o. S. 14 bzw. 29.

gie und Problematik der älteren und mittleren Stoa geschenkt werden, wobei auch die Frage nach dem Übergewicht zu stellen ist. Wo handelt es sich nur um einen Platonismus, der in ein stoisches Gewand gekleidet ist, und wo kann man einen platonisch umgebildeten Stoizismus erkennen[103]? Zumindest haben sich die Gnostiker mit stoischen Gedanken auseinandergesetzt[104].

Bei gewissen Anspielungen und Zitaten muß man wohl annehmen, daß die Schüler ihre Weisheit aus Anthologien entnommen haben, also aus doxographischen Sammlungen. Wenn z. B. die Lehre des Thales vom Wasser als dem Urelement[105] in der Schrift "Der Gedanke der grossen Kraft"[106] begegnet, geht das sicher auf ein solches Schlagwortwissen zurück[107]. Vielleicht hat man auch den Abschnitt aus Platons Staat in einer Antholo-

---

103) Zur Stoa vgl. M. POHLENZ, Die Stoa, 3. Aufl. Göttingen 1964. Der Verfasser, der sich bemüht, die Stoa in den Rahmen der antiken Geistesgeschichte überhaupt zu stellen, neigt zur Bejahung orientalischer Einflüsse auf die stoische Gedankenbildung. Wenn hierfür auch historische Möglichkeiten vorhanden waren, sollte man doch nicht den Versuch unterlassen, alle Elemente zunächst auf griechische Wurzeln zu überprüfen.

104) S. u. S. 46 f. zur negativen Auseinandersetzung, S. 45 f. für positive Kombination.

105) Die Fragmente der Vorsokratiker ed. H. DIELS, herausgegeben von W. KRANZ (16. Aufl.), I, S. 76 f.

106) NH VI 37,5 ff.

107) Obwohl der Name des Thales in diesem gnostischen Text nicht genannt wird, möchte ich eher Einfluß über die Doxographie als direkt aus ägyptischer Theologie annehmen. Thales hat vielmehr bei seinem als sicher anzunehmenden Aufenthalt in Ägypten selber die Vorstellung sich zu eigen gemacht, so daß sie im Hellenismus über die griechische Schule in den Orient zurückkehrte.

gie tradiert, der zusammen mit hermetischen Texten in der Bibliothek von Nag Hammadi überliefert ist[108]. Er könnte ganz bewußt mit ihnen zusammengestellt worden sein, da man ja in gewissen Kreisen Platon als einen Schüler des Hermes ansah[109]. In der Mehrzahl der Fälle spürt man in der Ausdrucksweise der gnostischen Texte allerdings, wie hier an die Diskussion offener Fragen in der Philosophenschule angeknüpft wird.

Bereits bei der Behandlung der Medizin konnte festgestellt werden, daß der erkenntnistheoretische Vorgang, wie ihn die Stoa schildert, auch von den Gnostikern übernommen worden ist[110]. Das Denkmodell Urbild - Abbild des Platonismus ist in einer dualistischen religiösen Geistesströmung wie dem Gnostizismus lebendig. Für den Gnostiker ist das Abbild eine Hilfe zur Erkenntnis der Wahrheit; "und wenn er aus der Welt herausgeht, hat er schon die Wahrheit in den Abbildern empfangen"[111]. Oder: "Die Mysterien der Wahrheit sind offenbar, indem sie Sinnbilder und Abbilder sind"[112]. Zu dieser Vorstellung, daß das wahre Sein verborgen ist und nur durch ein erkennbares Mittelding, das "Abbild", erfaßt werden kann, gehört auch die Aufforderung an die Gnostiker, das Verborgene aus dem Offen-

---

108) NH VI,5 : 48,16 - 51,23.

109) C. COLPE, Heidnische, jüdische und christliche Überlieferung in den Schriften aus Nag Hammadi VI, in: Jahrb. f. Antike u. Christentum 15 (Münster 1972), S. 14.

110) S. o. S. 28.

111) Ev. Phil. NH II 86,11 ff.

112) NH II 84,20 f.

baren zu erkennen[113]. In der titellosen Schrift des Codex II heißt es: "Nicht gibt es etwas Verborgenes, das nicht offenbar ist".

Auch die Sprachphilosophie als Teil der Erkenntnistheorie ist in Griechentum und Gnostizismus zu beobachten. Die griechische Schule dürfte auch hierfür die Brücke sein. In Platons Kratylos steht das erkenntnistheoretische Problem im Mittelpunkt. Der Untertitel lautet ja: "Über die Richtigkeit der Namen". Im Philippusevangelium, in dem bereits das Problem Urbild - Abbild behandelt wird, wird auch die Frage gestellt, ob denn die zentralen Begriffe des christlichen Glaubens eindeutig seien. Es wird dabei von ihrer verschiedenartigen Deutungsmöglichkeit gesprochen ebenso wie von der Tat der Archonten, die die Menschen in eine Begriffsverwirrung stürzen wollen[114]. Also ist auch hier die Frage nach der Richtigkeit gestellt. Liegt es da nicht nahe, für Verfasser und Leser die Kenntnis der Fragestellung aus dem Kratylos anzunehmen, über die sicher in der Schule gesprochen wurde; gerade auch weil der Kratylos zu keinem klaren Ergebnis kam, wird hier weiterdiskutiert worden sein. Eine dualistische Weltschau konnte sich außerdem die Unterscheidung zwischen der Sprache der Götter und der Sprache der Menschen[115]

---

113) NH II, 125,17 f. = 173,17 f. ed. BÖHLIG - LABIB.

114) NH II 53,23 - 54,31. Vgl. dazu K. KOSCHORKE, Die Namen im Philippusevangelium. Beobachtungen zur Auseinandersetzung zwischen gnostischem und kirchlichem Christentum, ZNW 64 (1973) 307 - 322. Dem Thema entsprechend ist hier die uns beschäftigende Frage nach dem griechischen Einfluß nicht behandelt.

115) Crat. 391 D.

zu eigen machen und eine Namengebung durch die Archonten herauskonstruieren. Bedenkt man ferner, wie die Etymologie als Prinzip der Hermeneutik im Kratylos verwendet wird, so könnte man auch die Freude an etymologischer Namendeutung bei den Gnostikern auf die griechische Schule zurückführen; doch ist eine solche Annahme deshalb nicht sehr wahrscheinlich, weil Volksetymologien überall weit verbreitet waren. Immerhin konnte die Schule auch immer wieder aufs neue zu ihrer pseudowissenschaftlichen Verwendung anregen.

Neben der Erkenntnistheorie sind es besonders Physik und Metaphysik, Anthropologie und Ethik, die den Einfluß der griechischen Schule erkennen lassen[116).]

Weil der Gnostiker auch eines Wissens darüber bedarf, was war, um das, was ist, zu verstehen und bei dem, was wird, zum Heil zu kommen, treten an ihn zwei Probleme heran: das Problem des Anfangs (ἀρχή) über-

---

116) Weil zum Problem des hellenistischen Einflusses auf die Anthropologie R. T. UPDEGRAFF und auf die Ethik F. WISSE gesonderte ausführliche Monographien vorbereiten, beschränke ich mich hier auf Fragen, die den hellenistischen Einfluß auf Metaphysik und Kosmologie betreffen, für die ich selbst an einer umfassenden Studie arbeite. Im vorliegenden Aufsatz sollen deshalb nur einige Hauptgesichtspunkte herausgehoben werden. Dabei können bei dem beschränkten Umfang natürlich nur einzelne Beispiele gegeben werden, die gerade angesichts des Pluralismus der Bibliothek von Nag Hammadi in keinerlei Weise erschöpfend, aber wohl richtungweisend sein können. Schon jetzt ist auch zu verweisen auf die wichtigen Ausführungen von J. ZANDEE, The terminology of Plotinus and of some gnostic writings, mainly the fourth treatise of the Jung Codex, Istanbul 1961.

haupt und das Problem des νοῦς als einer himmlischen Größe, die auch im Menschen wirksam ist. Dabei taucht zusätzlich die Frage auf, ob es sich um einen Ur-νοῦς handelt oder ob jenseits von ihm eine übertranszendentale Urgröße vorhanden ist. Der Gnostizismus hat es dabei mit Fragen zu tun, die von den griechischen Schulen schon Jahrhunderte hindurch diskutiert wurden. Die Schwierigkeit liegt hierbei an zwei Tatsachen: erstens ist die Interpretation der gnostischen Texte noch nicht völlig eindeutig, zweitens ist auch der Gang der philosophischen Entwicklung noch sehr umstritten[117].

Die ἀρχή des Alls bildet bei den Gnostikern der fremde Gott. Die Trennung Gottes in den Weltschöpfer und den einsamen, fernen Gott mag insbesondere auf die weitergespannte Weltschau der Philosophen zurückgehen. Die Polisgötter konnten zu einer Gesamtschau des Kosmos nichts beitragen. Im großen Weltraum und dem, was jenseits von ihm war, mußten andere Herrscher und auch Diener am Werk sein. Wenn man in der Philosophie jenseits von dieser Welt noch ein Reich der Ideen annahm, so konnte auch das hier noch nicht genügen. Jenseits davon mußte noch ein Ursprung, eine ἀρχή, vorhanden sein, die alle Mangelhaftigkeit unserer Vorstellungen übertraf und die auch nicht belastet war mit der Zahl. Denn so wesentlich die Zahlen des Bereichs der ἀΐδια und des μεταξύ-Bereichs für die Erkenntnis der Philosophen waren, das ἕν, das selbst noch keine Zahl ist,

117) Zu diesem Komplex ist die Arbeit KRÄMERs zum Ursprung der Geistmetaphysik von besonderer Bedeutung. Für das Corpus Hermeticum hat A. J. FESTUGIÈRE grundlegende Untersuchungen vorgelegt, die für das von mir bearbeitete Thema beispielhaft sind: La révélation d'Hermès Trismégiste I - IV, Paris 1949 - 1954.

muß die Quelle des Ursprungs bilden. Plotin - ob auch bereits sein Lehrer Ammonios Sakkas, bleibt ungewiß - hat der Vorstellung vom übertranszendenten ἕν eine maßgebliche Rolle eingeräumt. Doch ist das im Grundsatz keine neue Erfindung. Schon Platon hat diese Eins. Sie ist gerade infolge ihrer Einzigartigkeit ein Prinzip mit stark negativem Charakter. Diese Eins wird mit der Wertbezeichnung dessen, was sie ins Leben ruft, verbunden. Als αἰτία des Guten wird sie mit ihm identifiziert. So wird sie als ἐπέκεινα τῆς οὐσίας πρεσβείᾳ καὶ δυνάμει ὑπερέχον angesehen[118]. Sie besitzt also "Macht". Man hat die Betonung des ἕν bei Plotin auf orientalische Einflüsse zurückführen wollen. Das ist aber solange fraglich, als die entscheidenden Inhalte der platonischen Metaphysik in Plotins Lehre vom ἕν wiederzufinden sind. Der Weg, auf dem diese Ideen zu Plotin gelangt sind, war die Diskussion in der akademisch-neupythagoreischen Schule[119].

Im Gnostizismus ist die Vorstellung von einer übertranszendenten Größe, die nur mit negativen Attributen beschrieben werden kann, durchaus geläufig. Die Spitze ἕν war schon aus den Ketzerbestreitern bekannt. Bei den Valentinianern hat sich diese Auffassung schon lange eindeutig nachweisen lassen. Die neuen Texte von Nag Hammadi haben, so unterschiedlich sie auch untereinander sein mögen, für die negative Gottesbeschreibung markante Beispiele geliefert. Das Johannesapokryphon[120], der Eugnostosbrief bzw. die aus ihm entwik-

---

118) Rep. VI, 509 B.

119) KRÄMER, Geistmetaphysik 338 ff.

120) BG 22,17 - 26,13 ~ NH III 5,1 - 7,1 (Anfang zerstört) ~ NH II 2,26 - 4,19.

kelte Sophia Jesu Christi[121], das Ägypterevangelium[122], der erste Teil des Tractatus tripartitus[123] u. a. legen Zeugnis davon ab. Dabei schlägt auch höchste Negation leicht in positive Füllebeschreibung um[124]. Das "Unbegrenzte" ist "das Größte" auch nach Plotin[125]. Eine Entstehung der übrigen transzendenten, also im überkosmischen Sinne himmlischen, Welt aus dieser unbeschreiblichen Eins ist entweder durch Emanation[126] oder Evolution möglich. Der erstere Weg führt über die Emanation einer weiblichen Gottheit zur Entstehung des Sohnes, so im Johannesapokryphon und im

---

121) NH III 71,13 - 73,16 bzw. NH III 94,5 - 96,14 ~ BG 83,5 - 87,7. In diesem Text werden allerdings neben einer Beschreibung der Gottheit via negationis die in ihr ruhenden potentiellen Kräfte dargestellt. Als ἰσοδυνάμεις werden in ihr νοῦς, ἔννοια, ἐνθύμησις, φρόνησις, λογισμός und δύναμις überhaupt bezeichnet. Zum Einen als Potenz vgl. KRÄMER, Geistmetaphysik 338 ff.; zu πηγή in NH III 73,13; III 96,9 ~ BG 87,3 vgl. Plot. III 8,10,3 ff.

122) NH III 40,13 - 41,7 ~ IV 50,2 - 23. Vgl. dazu den Kommentar in der Ausgabe des Ägypterevangeliums von A. BÖHLIG - F. WISSE - P. LABIB in: Nag Hammadi Studies IV, Leiden 1974, S. 39 f.

123) NH I 51,2 ff. Allerdings wird auch in diesem Text der Vater zwar als "der Eine Einzige" bezeichnet (51,8 f.), aber ebenso als νοῦς (55,6). Das soll jedoch nur besagen, daß alle geistigen und Wahrnehmungsmöglichkeiten in ihm potentiell vorhanden sind.

124) Vielleicht wurde es so auch Mani um so leichter, den "Vater der Größe" mit dem iranischen Zervan, der ja auch "die unendliche Zeit" heißt, zu identifizieren.

125) VI 8,16.

126) H. DÖRRIE, Emanation. Ein unphilosophisches Wort im spätantiken Denken, in: Parusia, Festgabe für J. HIRSCHBERGER, Frankfurt/M. 1965, S. 119 ff.

Eugnostosbrief. Ob diese Emanationslehre griechisch zu erklären ist, bleibt fraglich. Die Parallele von Vater - Mutter - Sohn als Göttertrias weist auf ägyptische und syrische Kultvorstellungen hin. Andererseits sollte man darüber freilich nicht vergessen, daß triadisches Denken auch in der griechischen Philosophie vorhanden war und sicher auch nicht ohne Einfluß auf triadisch geformte Mythen geblieben ist[127]. Hier konnte die griechische Schule auch zur Bildung einer gnostischen Theologie beitragen. In einer Schrift, die für das rituelle Leben der Gemeinde bestimmt war, den "drei Stelen des Seth"[128], ist der mythische Rahmen durchaus mit philosophischen Vorstellungen ausgefüllt. Dazu gehört z. B. auch die Anrede "Du bist eins"[129]. Die Bezeichnung als Urgrund kommt auch in den folgenden Qualifikationen zum Ausdruck[130]: "Du Ungeborener! Aus Dir stammen die Ewigen und die Äonen, die Vollkommenen, die zusammen sind, und die einzelnen Vollkommenen. Wir preisen Dich, der Du keine οὐσία hast, Du ὕπαρξις, die vor den ὑπάρξεις ist, Du erste οὐσία, die vor den οὐσίαι ist, Du Vater der Göttlichkeit und der Lebendigkeit, Du Erschaffer des νοῦς, Du Spender von Gutem, Du Spender von Seligkeit". Wesentlich für unser Problem ist der Versuch hier, das ἕν über das ὄν herauszuheben, wenn einerseits von dem ἕν gesagt

---

127) Man denke etwa an den Mythos von der Seele im Timaios (34 B ff.). Zu Dreiergruppen in der griechischen Mythologie vgl. R. MEHRLEIN, RAC IV, 274 f.

128) NH VII,5 : 118,10 - 127,32.

129) NH VII 125,25. Im Ägypterevangelium wird der Lichtadamas so angeredet, wohl als Inkarnation des Vaters: III 49,6 f. ~ IV 61,6 f.

130) NH VII 124,21 - 33.

wird, daß es keine οὐσία besitzt, und andererseits doch die οὐσία vor den οὐσίαι ist. Die Urtümlichkeit wird auch durch seine Schöpfertätigkeit gekennzeichnet. Das ἕν steht höher als der νοῦς. Damit befindet sich dieser Gnostizismus in einer Linie mit der Älteren Akademie und Plotin[131]. Das ἕν besitzt eine Potentialität, in diesem ἕν ist eine "innere ἐνέργεια" vorhanden. In der dritten Stele des Seth wird vom höchsten Gott ausgesagt[132]: "Es gibt keinen, der vor Dir wirksam ist (ἐνεργεῖν). Du bist ein Geist, der für sich allein und lebendig ist, und Du kennst einen. Denn dieser eine, der bei Dir auf allen Seiten ist, nicht können wir ihn aussprechen". Die Selbständigkeit und Unabhängigkeit des ἕν kann kaum stärker zum Ausdruck gebracht werden. Aus diesem fernen Gott emaniert die Barbelo[133], dann weiter der Lichtadamas[134].

Solcher Emanation steht die Evolution gegenüber, für die im sog. Ägypterevangelium ein eindrucksvolles Beispiel vorliegt. Dort ist zunächst auch die Rede vom unsichtbaren Gott, der allerdings als Lichtvater bezeichnet wird[135]. Positive und negative Qualitäten dienen gemeinsam dazu, ihn zu schildern. Aus ihm, dem Vater, geht eine Trias von Vater - Mutter - Sohn her-

---

131) KRÄMER, Geistmetaphysik 351 ff.

132) NH VII 125,4 - 9.

133) NH VII 121,20 ff.

134) NH VII 118,25 ff. Im Ägypterevangelium wird Adamas von Moirothea geschaffen (NH III 49,1 - 7 ~ IV 60,30 - 61,8), doch wird er in dem darauf folgenden Abschnitt (III 49,8 - 16 ~ IV 61,8 bis 18) als Emanation bzw. Inkarnation des höchsten Gottes "Mensch" angesehen.

135) NH III 40,13 - 41,7 ~ IV 50,2 - 23.

vor[136]. Das zeigt, wie zur triadischen transzendenten Gottesvorstellung noch der Gedanke der Übertranszendenz hinzugetreten ist, so daß vom Vater zweimal von verschiedenen theologisch-philosophischen Vorstellungen aus die Rede ist.

Das ἕν wird von den Gnostikern gern als der unsichtbare Geist (πνεῦμα ἀόρατον) bezeichnet[137]. Er ist der Urgrund, dessen Charakteristikum die σιγή ist[138]. Zugleich ist er ἀνερμήνευτος[139]. Die Vorstellung vom πνεῦμα als übertranszendentalem Prinzip kann als eine Kombination von stoischem und platonischem Denken angesehen werden. Berücksichtigt man, daß auch die Immanenzlehre der Stoa nicht unbeeinflußt vom Platonismus gerade durch die Annahme eines aktiven und passiven Elements in der Weltgestaltung ist, so bedarf es nur der Transzendierung des πνεῦμα[140]. Ein gewisser Immanenzcharakter liegt ja auch in den gnostischen Systemen vor, die zwar eine transzendente himmlische Welt aufbauen, zugleich aber den höchsten Gott die in die Welt verstreuten Lichtteile umfassen lassen[141].

---

136) NH III 41,7 - 12 ~ IV 50,23 - 51,2.

137) Ägypterevangelium ed. BÖHLIG - WISSE - LABIB S. 39 f. Das Ägypterevangelium trägt ja eigentlich den Titel: "Das heilige Buch des großen unsichtbaren Geistes"; vgl. dazu a. a. O. 18. Johannesapokryphon: NH II 6,4. 26 u. ö., III 8, 11. 18 u. ö., BG 29,7 f.; 30,18 f. u. ö.

138) Ev.Aeg., z. B. NH III 40,17.18 ~ IV 50,8.9.

139) Ev.Aeg. NH IV 50,21 f. (nicht in III).

140) Zur Vorgeschichte der stoischen Prinzipienlehre vgl. den gleichnamigen Abschnitt in: H. J. KRÄMER, Platonismus und hellenistische Philosophie, Berlin 1971, S. 108 ff.

141) Z. B. Ev. Ver. NH I 18,29 ff. Vgl. auch W. R.

Ebenfalls eine Kombination von platonischem und stoischem Denken dürfte die λόγος-Lehre der Gnostiker sein. In der Tat hat der λόγος schöpferische Aufgaben auch im Gnostizismus so wie der Demiurg im Timaios. Nur entwickelt der Gnostizismus durch seine Betonung eines ethischen Dualismus die Vorstellung dahingehend weiter, daß er λόγος und Oberarchon als Demiurg voneinander qualitativ trennt. Der Logos schafft ein himmlisches Pleroma, die Archonten den Menschen. Ein Ansatzpunkt für die Erschaffung der Menschen durch untere Wesen liegt bereits in dem Mythos des Timaios vor, der die Menschen von niederen Demiurgen geschaffen sein läßt, um den oberen Demiurgen von der Verantwortung für den Erfolg bei diesem Werk zu entbinden[142].

Wie sich die Gnostiker mit Auffassungen der Stoa zur Lenkung der Welt auseinandersetzen und sie ablehnen, zeigt der Eugnostosbrief. Der Verfasser wendet sich gegen drei Thesen: Die einen sagen, "es sei ein heiliger Geist durch sich selbst", der die Welt lenkt. Das klingt an das καθ' αὑτὸ ὄν an. Andere führen die Lenkung auf die πρόνοια, wieder andere auf die εἱμαρμένη zurück[143]. Alle drei Vorstellungen sind in der Stoa vorhanden. Der aus sich selber existierende Geist

SCHOEDEL, "Topological" theology and some monistic tendencies in Gnosticism, in: Essays on the Nag Hammadi texts in honour of Alexander BÖHLIG ed. by M. KRAUSE (Nag Hammadi studies III), Leiden 1972, S. 88 - 108.

142) Vgl. P. BOYANCÉ, Dieu cosmique et dualisme: les archontes et Platon, in: Le origini dello Gnosticismo, Leiden 1967, S. 340 - 356.

143) NH III 70,16 - 21 bzw. SJC NH III 92,20 - 93,3 BG 81,5 - 11. In NH III 70,15 ~ III 92,20 f. ~ BG 81,3 wird ausdrücklich zur Meinung von "Philosophen" Stellung genommen.

durchwaltet alles und ist zugleich Ursache von allem Sein und Geschehen. Dieser Gott kann nicht gedacht werden ohne πρόνοια. Zugleich unterliegt aber die Welt einem Schicksalsgesetz[144]. Wenn von diesen drei Thesen dabei wie von drei verschiedenen Schulmeinungen gesprochen wird, so mag der Verfasser vielleicht an Richtungen gedacht haben, die innerhalb der Stoa von den einen oder anderen mehr betont wurden. Die Ablehnung dieser philosophischen Ansichten erfolgt in der genannten Schrift rein dialektisch durch Sophismen. Denn ein in sich ruhender Geist und die Pronoia sind ja durchaus Vorstellungen, die sonst gnostische Schriften kennen[145]. Auch die Heimarmene wird als Fessel der Archonten angeführt[146].

Konnten die Gnostiker für ihre Vorstellung von der ἀρχή aus den Philosophenschulen Denkmodelle entnehmen, so war das Problem des νοῦς ebenfalls eine Frage, die sie aus diesen Kreisen kennenlernten. Ein Beispiel für den intellectus divinus dürfte in der zwei-

---

144) POHLENZ, a. a. O. 93 - 106. Sowohl ⲠⲈⲦⲎⲠ in NH III als auch ⲦⲈⲐⲞⲚⲦ in BG dürfte Lehnübersetzung von εἱμαρμένη sein. Vielleicht ist ⲦⲈⲐⲞⲚⲦ am wörtlichsten durch die Wiedergabe des Femininums.

145) Vgl. den Index zum Ägypterevangelium.

146) In der titellosen Schrift des Codex II wird hierfür eine Reihe von wichtigen Angaben gemacht. Die Heimarmene als Weltprinzip, das die opposita δικαιοσύνη und ἀδικία in sich zusammenschließt, findet sich NH II 123,13 = 171,13 ed. BÖHLIG - LABIB, Herrin der Welt II 117,22 f. = 165,22 f. ed. BÖHLIG - LABIB, Herrscherin auch über die Archonten II 121,13 ff. = 169,13 ff. ed. BÖHLIG - LABIB (vgl. auch AJ : NH II 28,14 ff. ~ III 37,6 ff. ~ BG 72,2 ff.). Am Ende wird sie als Verurteilung (κατάγνωσις) der Archonten erwiesen: II 125,28 f. = 173,28 f. ed. BÖHLIG - LABIB.

ten Stele des Seth vorliegen[147]. Der Hymnus richtet sich an die Barbelo. Sie ist die auf den Vater folgende Größe. Im νοῦς kommt die Pluralität gegenüber dem ἕν zum Ausdruck[148]. Dieser Gedanke äußert sich im Gnostizismus so: "Du hast gesehen, daß die Ewigen aus einem Schatten stammen und hast gezählt. Du hast zwar gefunden und bist eine geblieben, wenn Du aber zählst, um zu teilen, bist Du dreifaltig. Du bist wirklich dreifach gefaltet. Du bist eine aus dem Einen und Du bist ein Schatten von ihm, dem καλυπτός. Du bist ein Kosmos des Wissens. Du weißt, daß die Angehörigen dieses Einen aus einem Schatten stammen. Und diese hast Du im Herzen. Deshalb hast Du den Ewigen Kraft gegeben durch die Existenzialität"[149]. Die Barbelo, die ja "der erste Schatten des heiligen Vaters" ist, sieht in ihrer himmlischen Höhe weitere Äonen, die aus dem Schatten stammen. Kann man hierin eine Anspielung auf die Vorstellung von den Ideen im Geiste Gottes sehen[150]? Das liegt gerade dadurch nahe, daß mit der Barbelo ja eine δυάς entstanden ist, daß sie somit der Zahl bzw. dem Zählen den Ursprung gegeben hat. Dabei ist sie selber doppelt zu charakterisieren, als eine Eins und als Drei. Wie Plotin vom νοῦς aussagt, daß er in der Hinwendung nach innen sowohl bei sich als auch beim ἕν ist, so geht wohl das erste Zählen[151] auf diese Hinwendung zum ἕν, das zweite[152] auf den Charak-

147) NH VII 121,18 - 124,15.
148) KRÄMER, Geistmetaphysik S. 318.
149) NH VII 122,6 - 20.
150) KRÄMER, Geistmetaphysik S. 317.
151) NH VII 122,8.
152) NH VII 122,10.

ter der Vielheit, den die Zweiheit hervorbringt, zurück. Die Bezeichnung "Kosmos des Wissens" umschreibt die Vorstellung vom νοῦς, der die Ideen in sich trägt[153], ebenso wie die Aussage, daß die Barbelo die Ewigen im Herzen hat. Die Abstammung aus dem Schatten soll den Abbild-Charakter zum Ausdruck bringen.

Im Johannesapokryphon hat die Barbelo gleichfalls den Charakter der δυάς, die aus dem Vater hervortritt und zugleich dreifach sein kann[154]. Sie ist "der erste Gedanke, sein Abbild". In ihrer Eigenschaft als πρωτέννοια wird ihr ein ganzes Werk gewidmet, "die dreigestaltige Protennoia"[155]. Kann man diese Größe als Abbild des ἕν, als eine aus ihm abgeleitete Größe betrachten, so kann man sie in ihrer Dreifaltigkeit ebenfalls als Prinzip der Vielheit ansehen. In christlich-gnostischer Transponierung findet sich die weibliche Muttergöttin im Philippusevangelium, wo der heilige Geist als Femininum erscheint[156]. Das mag auf den Umstand zurückgehen, daß im Aramäischen rūḥā feminin ist. Vielleicht ist dies auch angedeutet in der Aussage, daß "heiliger Geist" ein zweiteiliger Name

---

153) Zum Problem vgl. außer KRÄMER, Geistmetaphysik, auch dessen Aufsatz: Grundfragen der aristotelischen Theologie, 2. Teil: Xenokrates und die Ideen im Geiste Gottes, in: Theologie und Philosophie 44 (1969) 481 - 505.

154) NH II 5,4 ff. ~ III 7,22 ff. ~ BG 27,18 ff.

155) NH XIII ... 35,1 - 50,21. In dieser Schrift wird die Dreifaltigkeit der ersten ἔννοια als Vater, Mutter und Sohn (λόγος) dargestellt. Im Ägypterevangelium wird zwar nicht ausdrücklich von der Dreiheit des Urvaters, der πρόνοια und des λόγος gesprochen, aber sie ist neben einer weiteren Dreiheit, von deren Evolution bereits die Rede war, eindeutig vorhanden.

156) NH II 55,23 ff.

sei[157]. Denn Zweiteiliges ist im Semitischen ja feminin[158]. Wenn schließlich Christus, Messias, als "begrenzt" interpretiert wird, so kann das unter Umständen aus seiner Gestaltung als Seiendes abgeleitet werden, die er durch die δυάς erhält[159]. Doch ist diese Stufe der Entwicklung im Philippusevangelium zugunsten des Modells Vater - Sohn - Geist überwunden.

Kann man die δυάς aus dem Pythagoreismus oder aus dem Platonismus ableiten? Es fragt sich, ob sie in ihrer Entstehung durch das ἕν ein Materialprinzip darstellt. Vielleicht ist sie das, insofern sie den Lichtfunken gebiert[160]. Insoweit sie als Zwei aus der Eins entsteht, kann man wohl mit pythagoreischem Einfluß rechnen[161]. Sicher bildet die Vielheit der Hyle als Materialprinzip eine Entsprechung zur ἀόριστος δυάς[162], insbesondere wenn man in den dualistischen Systemen ihre Bemühungen sieht, sich zum Licht hinzuwenden, um es sich anzueignen[163].

Als göttliches Weltprinzip und unbegrenzte Urmaterie wird insbesondere in der Stoa die φύσις angesehen. Sie ist dort die Allnatur und wird dabei in man-

157) NH II 59,12 f.

158) C. BROCKELMANN, Grundriß der vergleichenden Grammatik der semitischen Sprachen I, Berlin 1908, S. 422, wo solche Nomina auch als dienende Werkzeuge betrachtet werden.

159) NH II 62,11 ff.

160) NH II 6,10 ff. ~ III 9,10 ff. ~ BG 29,18 ff.

161) KRÄMER, Geistmetaphysik S. 319 ff.

162) Tim. 30 A.

163) Vgl. KRÄMER, Geistmetaphysik S. 317 ff.

nigfacher Weise mit der Gottheit identifiziert[164]. Wenn von einer φύσις ζωτική oder λογική oder νοερά die Rede ist, wenn sie als ein schöpferisches Feuer auftritt, so fühlt man sich an NH VII,1 erinnert; nur ist dort die Immanenz zugunsten einer dualistischen Transzendenz aufgegeben und die φύσις zum Widersacher der Lichtwelt gemacht[165].

Doch braucht nicht alles, was sich im Kosmos befindet, durch die Gnostiker abgewertet zu werden. Wie bei Platon im Timaios[166] und bei Aristoteles in "De caelo"[167] wird z. B. auch im Ägypterevangelium der Fixsternhimmel als ein Platz der festen Ordnung gewürdigt. An ihm sind ja die Sterne befestigt und werden jeden Tag aufs neue am Menschen vorbeigeführt. Sie sind "mit einem Wissen der Wahrheit bewaffnet"[168]. Diese Bemerkung erinnert an das Urteil des Aristoteles, die Gestirne seien die vernunftvollsten Geister[169]. Wahrheit ist übrigens für die Gnostiker nicht allein etwas Erkanntes, sondern auch etwas, was eine Norm darstellt. Darum werden bei der Entstehung des Sethgeschlechtes ἀλήθεια und θέμισσα gekoppelt, wenn sie als Erstlinge (ἀρχή) des Samens des ewigen Lebens bezeichnet werden[170].

---

164) W. KÖSTER, φύσις, in: ThW IX 246 ff.

165) NH VII,1 passim; vgl. den Index der Edition von M. KRAUSE, in: F. ALTHEIM - R. STIEHL, Christentum am Roten Meer II, Berlin 1973, S. 227.

166) Tim. 40 B.

167) De caelo 291b - 292b; vgl. auch Metaphys. 1072a; 1073b.

168) NH III 64,4 ff. ~ IV 75,19 ff.

169) Vgl. A. J. FESTUGIÈRE, Révélation II, S. 240 ff.

170) Ev.Aeg. NH III 60,19 ff. ~ IV 71,30 ff. Vgl. NH III 62,20 ~ IV 74,6.

Die Ambivalenz der Seele, wie sie der Platonismus zum Ausdruck bringt, ist im Gnostizismus gleichermaßen zu beobachten. Aus ihr resultiert das Hangen und Bangen des Menschen zwischen Licht und Finsternis, Fleisch und Geist. In gewissen gnostischen Schriften wird ausführlich vom Abstieg und Aufstieg der Seele gesprochen. Hier sei nur verwiesen auf die Darstellungen in der "Exegesis der Seele"[171] und im "Authentikos Logos"[172]. Ausführlich wird geschildert, wie die Seele gefallen, mit göttlicher Hilfe aber in ihre Heimat zurückgekehrt ist. "Sie eilt hinauf in ihre Schatzkammer, in der ihr νοῦς ist"[173]. In der Schrift "αἴσθησις διανοίας" ("der Gedanke der großen Kraft")[174] wird die Seele als Typos des himmlischen νόημα angesehen[175]. Das entspricht ebenfalls der Auffassung des Platonismus vom Verhältnis νοῦς - ψυχή. Zur Ambivalenz gehört auch die Möglichkeit, daß Seelen sich entscheiden und daß sie je nach ihren Taten bzw. ihrer geistigen Einstellung einem verschiedenen Gerichtsurteil unterworfen werden[176]. Diese Lehre, nach der es auch verlorene Seelen gibt, ist im Manichäismus noch erhalten[177]. Aber auch der Gedanke des Unterschieds zwischen sterblicher

---

171) NH II,6 : 127,18 - 137,27.

172) NH VI,3 : 22,1 - 35,24.

173) NH VI 28,23 f.

174) NH VI,4 : 36,1 - 48,15.

175) NH VI 38,5 ff.

176) AJ : BG 64,13 - 71,2 ~ NH III 32,22 - 36,15 ~ NH II 25,16 - 27,31.

177) F. C. BAUR, Das manichäische Religionssystem, Tübingen 1831 (Nachdr. Göttingen 1928), S. 186 ff.

und unsterblicher Seele[178] wird im Dualismus der Gnostiker noch weiter ausgebaut[179].

Die vorangehende Skizze dürfte gezeigt haben, wie umfangreich der Beitrag der griechischen Schule zu Form und Inhalt des Gnostizismus gewesen ist. Wer die griechische Schule nicht besucht hatte, konnte die gnostischen Texte weithin kaum verstehen; solche Texte verfassen konnte er auf keinen Fall.

---

178) Sterblich : Tim. 69 C f., unsterblich : 34 B ff.

179) Petrusapokalypse : unsterbliche Seelen NH VII 75,27 f.; 77,2 f. 17; 78,5; die Seelen der Äonen sind zum Tode bestimmt 75,15 f.; nicht jede Seele ist unsterblich 75,12 ff.

DIE SEXTUS-SPRÜCHE UND DAS PROBLEM DER GNOSTISCHEN ETHIK

von

Frederik Wisse

In der Sammlung von Traktaten der koptisch-gnostischen Bibliothek von Nag Hammadi findet sich auch eine Version der Sextus-Sprüche[1]. Diese ethischen Maximen neupythagoreischer, stoischer und platonischer Herkunft waren wahrscheinlich am Ende des 2. Jahrhunderts in Alexandria von einem christlichen Kompilator bearbeitet worden[2]. Die große Popularität dieser

---

1) The Facsimile Edition of the Nag Hammadi Codices. Codices XI, XII, XIII, Leiden 1973, Tafel 85 - 94. Eine Textausgabe des Codex XII mit englischer Übersetzung, Einleitung, Anmerkungen und Indices wird von mir 1974 - 1975 herausgegeben in: The Coptic Gnostic Library, Codices XI, XII, XIII, ed. John TURNER, Nag Hammadi Studies, E. J. Brill, Leiden. Für eine kritische Ausgabe des griechischen Textes der Sextus-Sprüche zusammen mit der lateinischen Übersetzung von Rufinus, siehe H. CHADWICK, The Sentences of Sextus, A constribution to the History of Early Christians Ethics, Cambridge 1959.

2) B. ALTANER und A. STUIBER, Patrologie: Leben, Schriften und Lehre der Kirchenväter, 7. Aufl., Freiburg 1966, S. 79. Siehe auch die Einleitung

Sammlung von Weisheitsprüchen in christlichen Kreisen belegt ihre Übersetzung ins Lateinische und Syrische, und ihre teilweise Übersetzung ins Armenische und Georgische. Von einer koptischen Übersetzung war bisher nichts bekannt.

Man könnte die Sextus-Sprüche als typisches Beispiel der hellenistischen religiösen Ethik bezeichnen. Abgesehen von der Christianisierung, die besonders am Anfang der Maximen sichtbar ist, und einer esoterischen Tendenz (s. u.), spiegeln die Sprüche allgemeine ethische Ideale von echter Weisheit und Gottähnlichkeit wieder. Um dies Ziel zu erreichen, soll man sich abkehren von den Leidenschaften und Sorgen des Körpers. Jederzeit muß man sich hüten vor den versklavenden Verlockungen dieser Welt und den dämonischen Mächten, deren Ziel es ist, uns zu Fall zu bringen. Andererseits fordern die Sextus-Sprüche zu einem von Vernunft geleiteten Leben auf. Eine Art Askese ist notwendig, um die Vervollkommnung des Wissens zu erreichen. Solche Ideale kann man auch bei Philo, Clemens von Alexandria, Epiktet, Mark Aurel und Philostrat finden[3]. Dieses ist nicht verwunderlich, überraschend ist aber, eine derartige ethische Einstellung in einer gnostischen Bibliothek zu finden[4].

---

zur deutschen Übersetzung der Sprüche des Sextus von J. KROLL in: E. HENNECKE: Neutestamentliche Apokryphen, 2. Aufl., Tübingen 1924, S. 624 - 629.

3) Diese hellenistischen Schriftsteller wurden für die für 1975 geplante weitere Studie gewählt, weil sie sowohl die verschiedenen religiösen Strömungen dieser Zeit repräsentieren, als auch unterschiedlichen sozialen Schichten angehören.

4) A. BÖHLIG weist darauf hin, daß Weisheitsprüche besonders in Ägypten beliebt gewesen sind (Prover-

Zunächst muß einmal die Frage gestellt werden, ob Codex XII, in welchem die koptischen Sextus-Sprüche enthalten sind, überhaupt mit den anderen Nag Hammadi Codices zusammen gehört! Das genaue Wie und Wo des Fundes ist noch immer unklar und wird es wohl auch weiterhin bleiben. Über die Handschriften ist wenig bekannt bis zu dem Zeitpunkt, als sie nach Kairo kamen. Die Möglichkeit, daß ein oder mehrere Codices aus einem anderen Fund mit diesen vermischt wurden, ist nicht auszuschließen. Es ist weiter darauf hinzuweisen, daß allein Codex XII keinen Ledereinband mehr hat. Die noch vorhandenen Reste von verschiedenen Teilen des Codex lassen stark vermuten, daß die größten Verluste jüngeren Datums sind. Es ist wahrscheinlich, daß die Teile der 18 Seiten, die noch existieren, vom Einband und dem Rest des Codex getrennt wurden.

Dieser Ungewißheit gegenüber steht die Tatsache, daß Codex XII über die Sextus-Sprüche hinaus auch eine sahidische Version des Evangeliums Veritatis enthält. Eine fast vollständige subachmimische Version dieses christlich-gnostischen Werkes ist aus Codex I bekannt[5]. Dies macht es auf jeden Fall sicher, daß die Sextus-Sprüche auch im Zusammenhang mit gnostischer Literatur benützt wurden. Weiterhin kann man, wie unten ausgeführt wird, die ethische Ausrichtung der Sprüche auch in anderen Traktaten der Bibliothek antreffen. Also kann die Anwesenheit der Sextus-Sprüche

---

bien-Kodex, The Book of Proverbs Codex , Codex Ms. or. oct. 987 der Deutschen Staatsbibliothek zu Berlin, Faks.. Leipzig 1963, Nachwort S. XV).

5) Der Charakter des dritten fragmentarischen Traktats in Codex XII ist unklar, abgesehen von der Tatsache, daß es sich um ethische Fragen in einem

in der Sammlung nicht zufällig genannt werden; es scheint die ethische Einstellung der Eigentümer der Bibliotheken zu charakterisieren.

Aufgrund der Berichte über die moralische Einstellung der Gnostiker seitens ihrer Gegner wird man es zunächst kaum erwarten, daß sich unter gnostischen Traktaten ein Werk mit solch hohem ethischen Niveau findet, wie es die Sextus-Sprüche darstellen. Zum Beispiel behauptet der Philosoph Plotin von den Gnostikern, welche ihm bekannt waren, daß sie durch ihre Ablehnung dieser Welt und ihrer Schöpfer dem Libertinismus verfallen seien. Um Plotins Meinung von der gnostischen Ethik zu beurteilen, ist es notwendig, seine Argumentation in Enn. II 9.15 zu analysieren. Plotin war daran interessiert, den Einfluß der gnostischen Lehren auf die Seelen der Zuhörer darzustellen. Die Frage ist nun, ob Plotin selbst die moralischen Konsequenzen aus diesen Lehren gezogen hat, oder ob er sie bei den Gnostikern gefunden hat. Die gnostischen Lehren, die hier in Frage kommen, beschäftigen sich mit der Welt als einem minderwertigen Produkt eines üblen Demiurgen (II 9.4). Aufgrund von II 9.10 scheint es, daß Plotin sich auf einen schriftlichen Bericht über den gnostischen Mythos von Schöpfung und Fall stützt.

Über die Identität der Gnostiker, die von Plotin bekämpft wurden, hat man sich oft Gedanken gemacht[6].

---

religiösen Kontext handelt.

6) C. SCHMIDT, Plotinus Stellung zum Gnostizismus und kirchlichen Christentum, TU NF V,4, Leipzig 1901. R. REITZENSTEIN, Poimandres: Studien zur griechisch-ägyptischen und frühchristlichen Literatur, Stuttgart 1966 (= Leipzig 1904), S. 102 - 116; 306

Porphyrios berichtet in Vit. Plot. 16, daß Plotins Traktat gegen die Gnostiker (Enn. II,9) zu den Leuten, die die Offenbarungen von Zoroaster und Zostrianos und Nicotheus und Allogenes und Messos fabriziert haben, Beziehungen habe. Erste Beurteilungen der Nag Hammadi-Schriften, die sich auf hastige Durchsicht stützen, berichteten, daß die Sammlung uns endlich drei der von Porphyrios erwähnten sektiererischen Werke biete[7].

Eine genauere Analyse des Fundes ergibt, daß nur zwei Nag Hammadi-Schriften in Frage kommen, nämlich Zostrianos (VIII,1) und Allogenes (XI,3). John H. SIEBER, der eine englische Ausgabe des Zostrianos vorbereitet, hat sich kürzlich für die Identität der Apokalypse des Zostrianos, die Porphyrios erwähnt, mit VIII,1 eingesetzt[8]. Der Begriff "Apokalypse" taucht im Zusammenhang mit VIII,1 nicht auf, doch ist es der Gattung des Werks angemessen. Problematischer ist das griechische Kryptogramm am Ende des Traktats (VIII 132,7 - 9): "Worte der Wahrheit des Zostrianos, Gott der Wahrheit; Worte des Zoroaster". Porphyrios unterscheidet zwischen der Apokalypse des Zostrianos und der des Zoroaster; die erste sei durch Amelius in

---

bis 308. W. BOUSSET, Hauptprobleme der Gnosis, FRANT 10, Göttingen 1907, S. 186 - 194. H. - Ch. PUECH, "Plotin et les Gnostiques", in: Les Sources de Plotin, Entretiens sur l'Antiquité Classique, Tome V, Genève 1960, S. 159 - 190.

7) H. - Ch. PUECH, "Les nouveaux écrits gnostique découverts en Haute-Égypte (premier inventaire et essai d'identification)", in: Coptic Studies, S. 126 - 134. J. DORESSE, The Secret Books of the Egyptian Gnostics, London 1960, S. 156 - 158.

8) "An Introduction to the Tractate Zostrianos from Nag Hammadi", NovTest XV, 1973, S. 237f.

vierzig Bänden widerlegt worden, während die zweite durch Porphyrios selbst als Fälschung erwiesen wird. Da Zoroaster in dem Traktat nicht erscheint und nur Zostrianos im Schlußtitel aufgeführt wird, hat SIEBER wohl recht, wenn er annimmt, der Name des Zoroaster sei im Kryptogramm hinzugefügt worden, um deutlicher zu machen, wer der verhältnismäßig unbekannte Zostrianos ist.

Das Hauptargument, das SIEBER für die Identität der Apokalypse von Vit. Plot. 16 mit VIII,1 aufbieten kann, ist die häufige Verwendung der Begriffe παροίκησις, ἀντίτυπος und μετάνοια im Zostrianos und das Vorkommen dieser selben Begriffe in der Beschreibung gnostischer Lehren in Enn. II 9.6. Plotin glaubt, daß sie Leidenschaften (πάθη) der Seele bezeichnen. Im Zostrianos sind sie Äonen oder haben wenigstens etwas mit ihnen zu tun; was genau ihre Funktion und Bedeutung ist, bleibt unklar. Warum Plotin diese drei "hypostaseis" aus seiner gnostischen Quelle wählte und ob er sie aus der griechischen Version von VIII,1 hat, ist schwer zu sagen. Dieselben Begriffe kommen auch in dem titellosen Traktat des Codex Brucianus vor[9].

Eine wichtigere Übereinstimmung, von SIEBER nicht erwähnt, ist der gnostische Schöpfungsmythos in Enn. II 9.10 und Zostrianos (VIII 9-10). Der Text des Zostrianos ist hier fragmentarisch, doch mehrere der Schlüsselbegriffe und -ereignisse von Plotins kurzem Bericht lassen sich wiederfinden. Der Bericht im Zo-

---

9) C. SCHMIDT / W. TILL, Koptisch-gnostische Schriften; Erster Band; Die Pistis Sophia, Die beiden Bücher des Jeû, Unbekanntes altgnostisches Werk, 3. Aufl., Berlin 1959, S. 361,35 - 362,3.

strianos gibt hinreichenden Grund für Plotins Vorwurf, die Gnostiker verdunkelten Sachverhalte durch Verschieben ihrer Terminologie. Dies führt zu einem weiteren Problem. VIII,1 beschäftigt sich hauptsächlich mit dem Aufstieg des Zostrianos durch die Äonen, wo er durch die verschiedenen Wesen, die hier wohnen, getauft wird. Das Werk ist hochmythologisch und abstrus. Die Lehren, gegen die sich Plotin so energisch wendet, spielen darin keine wichtige Rolle, so daß man nur schwer begreift, was Amelius zu seiner ausführlichen Widerlegung veranlaßt hat. Vielleicht gab sich die frühe neuplatonische Schule mehr mit mythologischen Spekulationen ab als Plotins eigene Schriften erkennen lassen. Dies würde erklären, weshalb Material dieser Art auf einige Leute in Plotins Umgebung anziehend wirken konnte (Enn II 9.10) und weshalb Plotin es für nötig hielt, vor dieser Weltanschauung zu warnen.

Allogenes (XI,3) ist wie Zostrianos nichtchristlich; beide Werke haben ein bestimmtes pseudophilosophisches Vokabular gemeinsam. Darüber hinaus enthalten beide Werke Mythologumena eines sethianisch-barbelognostischen Typs der Gnosis. XI,3 ist ein Offenbarungsdialog zwischen Allogenes und seinem Sohn Messos. Allogenes vermittelt die Gnosis, die er von Juel erhalten hat und die sich hauptsächlich mit dem vollkommenen, transzendenten Gott beschäftigt. Auch in der Theologie dieses Werkes finden wir an sich wenig, was neuplatonische Einwände hervorrufen könnte. Beide Nag Hammadi-Traktate lassen Berufung auf Plato oder offenkundige Verwendung platonischer Lehre, wie man sie aufgrund der Beschreibung in Enn. II 9.6 erwartet, vermissen. Am wichtigsten für unser Problem ist: Keines der beiden Werke liefert eine Basis für Plotins

Angriffe auf die gnostische Ethik in Enn. II 9.15. Es überrascht von ihrem Hauptgegenstand her nicht, daß sie die Ethik so gut wie ganz beiseite lassen. Doch besteht kaum ein Zweifel daran, daß sie dem Ideal der Askese, der sittlichen Vollkommenheit und der Vergöttlichung anhängen. So schließt Zostrianos mit einer Predigt, die ernst und streng vor dem "Wahnsinn" und der "Fessel" der Weiblichkeit warnt und das Heil in der Männlichkeit ans Herz legt. Ähnliches findet man im enkratitischen Thomasevangelium, Logion 114. Offenkundig kommen hier nicht libertinistische, sondern monastische Interessen zum Ausdruck.

Die ethischen Implikationen gnostischer Lehre setzt Plotin in Beziehung zu den zwei seiner Meinung nach grundlegenden ethischen Positionen (Enn. II 9.15). Die eine, mit der er sich selbst identifiziert, lehrt, daß der Endzweck des Menschen durch das moralisch Gute (καλόν), durch Tugend und durch Zuwendung zu Gott erreicht werde. Die andere Schule, deren Hauptvertreter Epikur ist, verneint die göttliche Vorsehung und findet das Ziel des Menschen in materiellen Vergnügungen. Für Plotin ist klar, daß die Gnostiker, indem sie den Herrn der Vorsehung verachten, noch über Epikur hinausgegangen sind. Für den Bereich der Ethik bedeutet dies, daß sie Tugend und Enthaltsamkeit und alles verachten, wodurch der Mensch gut werden kann. Das Ergebnis steht fest: sie sind gefangen in der libertinistischen Befriedigung ihrer Leidenschaften. Daß diese Aussagen Plotins nicht auf Kenntnis der gnostischen Lebensweise gegründet sind, zeigt seine einschränkende Bemerkung, der Gnostiker sei vielleicht aufgrund seiner Natur besser als die Lehre.

Statt Libertinismus in Lehre oder Praxis der Gnostiker nachzuweisen, sucht Plotin nach weiteren Argumenten, die zeigen sollen, weshalb sie die Forderungen eines tugendhaften Lebens ignorieren. Daß sie ihre Hoffnung auf das Jenseits setzen, bedeutet, so meint Plotin, daß nichts in diesem Leben einen Wert für sie habe. Schließlich gebraucht er ein argumentum e silentio: die Gleichgültigkeit der Gnostiker gegenüber der Tugend zeige sich deutlich daran, daß sie keinen λόγος περὶ ἀρετῆς hervorgebracht hätten. Was er meint, ist eine philosophische Abhandlung, die auszusagen versucht, was Tugend sei und welche Bestandteile sie habe, wie es in Schuldiskussionen über ethische Themen üblich war. Dies beweist nur, daß Plotin für das Hauptanliegen der Gnostiker und für die literarischen Gattungen, mit Hilfe derer sie sich ausdrücken, kein Verständnis hat. Auf der Grundlage des Nag Hammadi-Fundes könnte man sogar behaupten, bei den Gnostikern habe für eine besondere Abhandlung über die Tugend gar keine Notwendigkeit bestanden, da sie sich durch hellenistische Werke wie die Sextus-Sprüche schon wohl versehen glaubten. Darüber hinaus zogen sie offenbar andere Verbindungslinien zwischen Lehre und Leben als sie Plotin für notwendig hielt. So stellt nicht nur die Entdeckung einiger der vermutlichen gnostischen Quellen Plotins seine Behauptung eines gnostischen Libertinismus in Frage, schon seine Argumentation in Enn. II 9.15 drängt die Schlußfolgerung auf, daß die moralische Laxheit der Gnostiker eher seine Schlußfolgerung ist denn eine Tatsache.

Die Art und Weise, wie Plotin gegen die Gnostiker polemisiert, ist in mancher Hinsicht auch für die christlichen Häresiologen kennzeichnend. Er beurteilt die gnostischen Mythologumena so, als seien sie Teil eines philosophischen Systems, und ihre Gültigkeit macht er davon abhängig, ob sie sich in sein eigenes philosophisches Denken einfügen lassen. So meint er etwa, der gnostische Demiurg müsse dieselben Funktionen ausüben wie die Weltseele; da der Demiurg dies nicht kann, ist sein Urteil gesprochen (Enn. II 9.4). Es ist kein Wunder, daß Plotin die Gegner mit seiner Logik nicht zu überzeugen vermochte und weitere Diskussionen mit ihnen für sinnlos hält (II 9.10). Wie bei den Häresiologen hat seine Polemik nur den Zweck, die eigenen Nachfolger vor der Verführung durch gnostische Lehre zu bewahren. Daß die Gnostiker auf ihre Weise Fragen zu beantworten suchten, die den seinen ähnlich waren, scheint ihm nicht in den Sinn gekommen zu sein. Er ist so sehr in den engen Bahnen seines Denkens gefangen, daß er alles verzerrt, was nicht damit übereinstimmt. So zeigen seine langen Widerlegungen nur, daß seine Gegner keine guten Neuplatoniker sind: Gefahren und Schwächen der gegnerischen Position deutlich werden zu lassen, vermögen sie kaum. Die Technik, aus der Lehre der Gegner bestimmte negative Folgerungen zu ziehen, die sie selbst nicht zogen, könnte sehr wohl auch auf Plotin selbst angewandt werden. Isoliert man seine zahlreichen pessimistischen Aussagen über das Leben im Körper und in dieser Welt, dann könnte man leicht den falschen Schluß ziehen, er habe tugendhaftes Leben für unwichtig gehalten.

Am stärksten haben die Häresiologen den Gnostikern libertinistische Lehre und Praxis vorgeworfen. Es ist nicht das Ziel dieses Aufsatzes, jeden Bericht über moralische Liederlichkeit bei den Gnostikern zu analysieren; auch möchte ich nicht behaupten, daß alle diese Berichte notwendig falsch sind. Es genügt hier, einige Gesichtspunkte herauszustellen, die zeigen, daß gnostischer Libertinismus, wenn überhaupt vorhanden, eher eine Ausnahmeerscheinung war als ein wesentlicher Bestandteil gnostischer Religion.

1) Nur bei wenigen dieser Berichte kann man annehmen, daß sie Nachrichten aus erster Hand darbieten. Bei den meisten handelt es sich um eine Verbreitung von Gerüchten, die die Kirchenväter nur zu gerne von ihren Gegnern zu glauben bereit waren. Ein klares und wahrscheinlich typisches Beispiel ist das der Nikolaiten. Sie erscheinen zum ersten Mal in der Aufzählung aller Häresien, die Irenaeus als Quelle benutzt hat (Adv. haer. I 26.3). Es ist deutlich, daß diese Quelle sich auf nichts anderes stützt, als auf die knappe Erwähnung in Apk 2:6 und 15. Substanz gab man der Lehre dieser Sekte, indem man ihr fälschlich die libertinistischen Ansichten der Irrlehrer zuschrieb, die in Vers 14 genannt werden, d. h. "die Lehre Bileams, der den Balak lehrte, den Söhnen Israels eine Falle zu stellen, so daß sie Götzenopferfleisch aßen und Unzucht trieben"[10]. Der Wortlaut in Apk 2:15 macht aber klar, daß die Lehre der Nikolaiten etwas anderes gewesen sein muß, etwas, das vermutlich nichts mit Libertinismus zu tun hatte. Weiter identifiziert die häresiologische Tradition willkürlich den Häresiarchen Nikolaus mit

---

10) Das meinen normalerweise die Häresiologen mit libertinistischen Praktiken. Die wichtigste weitere Anschuldigung ist, man lasse das unmoralische Handeln bei Glaubensgenossen hingehen.

dem Diakon von Apg 6:15[11]. Pseudo-Tertullian, Epiphanius, Filastrius, Euseb, Theodoret und Augustin nahmen alle diesen völlig frei erfundenen Bericht über die nikolaitische Lehre auf. Clemens von Alexandria fügte weiteres Legendenmaterial hinzu, um den Diakon Nikolaus zu entlasten[12]. Die Schlußfolgerung liegt nahe, daß dieses Beispiel einer libertinistischen Sekte niemals anders als rein literarisch existiert hat[13].

2) Gegner der Orthodoxie wurden häufig mit dem Vorwurf der Liederlichkeit belegt. Man darf dies nicht zu schnell als Verleumdung bezeichnen, denn die Häresiologen glaubten wirklich, daß falsche Lehre zu unmoralischem Handeln führen müsse. Man kann diese Tendenz schon im Judasbrief finden[14]. Irrlehren und schismatische Bewegungen werden hier als Erfüllung der Prophetien betrachtet, die für die Endzeit falsche Propheten ankündigen. Dies erlaubte den Verteidigern der Orthodoxie, die herkömmlichen Cha-

---

11) A. HILGENFELD glaubt, diese Identifikation gehe auf libertinistische Gnostiker zurück, die für ihre Praktiken apostolische Autorität beanspruchten (Die Ketzergeschichte des Urchristentums, Darmstadt 1966 (= Leipzig 1884), S. 410f.). Aber wie hätten die Häresiologen solch einen Anspruch akzeptieren können, der von Libertinisten kam?

12) Strom. II 20 und III 4.25f.

13) Zur Tendenz der Häresiologen, die große Verschiedenheit häretischer Lehren von unterschiedlichen Sekten her zu verstehen, s. meinen Aufsatz "The Nag Hammadi library and the Heresiologists", VigChr XXV, 1971, S. 205 - 223.

14) S. meinen Artikel "The Epistle of Jude in the History of Heresiology", in: Essays on the Nag Hammadi Text in Honour of Alexander Böhlig, Nag Hammadi Studies III, Leiden 1972, S. 133 - 143.

rakteristika der falschen Propheten, deren wichtigstes der Libertinismus war, auf ihre Gegner zu übertragen[15]. Falls Enthaltsamkeit deutlich zur Sektenpraxis gehört, behaupten die Häresiologen, sei dies nur ein Trick, um die Rechtgläubigen zu verführen, und so machen sie sie unglaubwürdig[16]. Ehelosigkeit, ein in der Orthodoxie selbst weitverbreitetes Ideal, wird, wenn von einer Sekte vertreten, als Gotteslästerung abgelehnt, da eine göttliche Einrichtung verworfen werde[17]. Auch die geistliche, der Enthaltsamkeit geweihte Ehe wird lächerlich gemacht, wenn Häretiker sie praktizieren[18]. So nimmt man entweder auf seiten der Gnostiker libertinistische Neigungen und Praktiken an, oder man zieht ihre Enthaltsamkeit, wenn sie unbezweifelbar

---

15) Dies tat man nicht nur bei Gnostikern, sondern bei Gegnern überhaupt. Z. B. beschuldigte Hyppolyt seinen Rivalen und Gegner in Rom, Papst Kallistus (Calixtus I), er erlaubte moralischer Liederlichkeit den Einzug in die Kirche (Ref. IX 12). Diese Verbindung von Unsittlichkeit und Häresie findet prägnanten Ausdruck in Hegesipps Meinung, die Ketzer hätten die Kirche, die reine Jungfrau, beschmutzt (Euseb, H. E. IV 22.4 - 5).

16) Z. B. Irenaeus, Adv. haer. I 24.2. Nichtgnostische Gegner werden ähnlich behandelt. Z. B. behauptet Hippolyt in Ref. IX 13, die Askese des Alkibiades sei vorgespiegelt. Der antimontanistische Autor, den Euseb in H. E. V 16 - 17 zitiert, betrachtet die asketischen Forderungen des Montanus als Verstellung.

17) Z. B. Irenaeus, Adv. haer. I 28.1.

18) Z. B. Irenaeus, Adv. haer. I 6.3. Daß diese Praxis sich nicht auf häretische Asketen beschränkt, zeigt deutlich der zweite pseudoklementinische Brief über die Jungfräulichkeit (H. DUENSING, "Die dem Klemens von Rom zugeschriebenen Briefe über die Jungfräulichkeit", ZKG LXIII, 1950/51, S. 180ff.).

geübt wird, in ein möglichst schlechtes Licht.

3) Wie Plotin wählten die Häresiologen zur Widerlegung diejenigen Aspekte gnostischer Lehre aus, die in ihren Augen negative moralische Implikationen enthielten. Ihr Anliegen war es, ihre rechtgläubige Herde vor den Gefahren zu warnen, die das tugendhafte Leben bedrohten. Daß auf diese Weise die Berichte über häretische Lehren sehr einseitig wurden, ist verständlich. Der Kontext, in dem die häretischen Sätze ursprünglich gestanden hatten, ist oft weggelassen. Darüber hinaus mußten sekundäre und isolierte Elemente als die Hauptlehre einer bestimmten Sekte erscheinen. Lehren und Mythologumena wurden so nacherzählt, daß libertinistische Schlußfolgerungen herauskamen.

Die Häresiologen hatten noch weniger Bedenken als Plotin, Konsequenzen zu ziehen, welche die Gnostiker, aus welchem Grund auch immer, nicht gezogen hatten. Die Art und Weise, wie Plotin mit seinen gnostischen Gegnern umgeht, wurde oben dargelegt; sie ist typisch. Auch die Häresiologen glaubten, die Mißachtung des Schöpfergottes führe zu Gleichgültigkeit gegenüber den Forderungen der Tugend[19]. Die neugefundenen originalen gnostischen Werke haben endlich Gelegenheit gegeben, diesen angeblichen Zusammenhang von Verteufelung des Demiurgen und Libertinismus zu überprüfen. Obwohl viele dieser Werke keinen Zweifel an ihrer Verachtung des Schöpfergottes lassen, verbindet doch keines von ihnen dies

19) Z. B. Irenaeus in seinem Bericht über die Basilidianer (Adv. haer. I 24.5).

mit libertinistischer Ethik[20]. Vielmehr, wenn die Mythologumena von der Schöpfung überhaupt eine ethische Interpretation erhalten, dann ist es diejenige, daß der Demiurg zu diesem Zeitpunkt der Menschheit die bösen Leidenschaften eingab[21].

Die andere gnostische Lehre, die nach Ansicht der Häresiologen moralische Gleichgültigkeit, wenn nicht Libertinismus, nach sich zog, war der anthropologische Determinismus. Laut Irenaeus lehrte Valentin, daß die psychischen Menschen, d. h. die Christen ohne Gnosis, gute Werke vollbringen müssen, damit sie erlöst werden können, während den Gnostikern die Erlösung aufgrund ihrer geistigen Natur sicher ist[22]. Auf diese Weise, weiß Irenaeus weiter zu berichten, tun die Vollkommensten von ihnen alles Verbotene ohne Scheu. Irenaeus hat hier nicht selbst eine Schlußfolgerung gezogen, sondern er beruft sich auf unmoralische Verhaltensweisen, von denen er Nachricht bekommen hat. Dazu gehören: das Essen von Götzenopferfleisch, der Besuch heidnischer Spiele in der Arena sowie unsittlicher Verkehr mit weiblichen Anhängern.

Bei den beiden ersten Punkten muß es sich nicht um Libertinismus handeln; eher kommt darin der radikale Paulinismus der Valentinianer zum Ausdruck. Der Vorwurf der Unsittlichkeit scheint zunächst be-

---

20) S. besonders das Testimonium Veritatis (IX,3), unten S. 81ff.

21) Z. B. das Apokryphon des Johannes II 24,26ff.

22) Adv. haer. I 6.2.

gründet, wird aber bei näherer Betrachtung zumindest fragwürdig. Man sollte mit dem von Irenaeus an letzter Stelle genannten Beispiel beginnen, bei den "Schwestern", mit denen die Gnostiker in geistlicher Ehe leben und die schwanger geworden sind. Dies muß im Licht des valentinianischen Mysteriums vom Brautgemach gesehen werden, dem offenbar in bestimmten Fällen ein enthaltsames Zusammenleben eines Bruders und einer Schwester folgte. Es ist kein Wunder, daß die Gegner für diese Praxis nur Zynismus und Spott übrig hatten. Doch war dieses asketische Ideal auch bei den Orthodoxen weitverbreitet, und daß dahinter ernster religiöser Eifer stand, läßt sich nicht bezweifeln, auch wenn es nicht immer erfolgreich verwirklicht wurde. Von Ehefrauen, die zum gnostischen Glauben bekehrt worden waren, war zu erwarten, daß sie ihre Männer verließen, um ihr Leben der Enkrateia zu weihen. Offenbar beklagen sich die zornigen Ehemänner bei Irenaeus, die Gnostiker hätten ihre Frauen geraubt[23]. Schließlich, wenn Frauen reumütig zurückkehrten, dürften sie ihre gnostischen Lehrer in den dunkelsten Farben geschildert haben, um selbst als unschuldige Opfer übler Verführer zu erscheinen.

Ebenso wie der valentinianische Ehesymbolismus auf diese Weise mißverstanden und verdreht wurde, so wurde auch - gleichermaßen von antiken und modernen Kommentatoren - die Unterscheidung des psychischen und des pneumatischen Menschen in einen falschen Kontext gestellt. Elaine H. PAGELS hat nachgewiesen, daß für die Beurteilung dieser Kate-

---

23) Für eine ähnliche Situation s. die Thomasakten.

gorien nicht die Begriffe Determinismus und freier Wille maßgeblich sind, sondern daß sie von der Erwählungsterminologie des Johannesevangeliums her verstanden werden müssen[24]. Der psychische Mensch fällt nicht unter die Erwählung; er kann das Heil durch Glaube und Werke erlangen. Die Pneumatiker sind die Erwählten, ausgewählt vom Vater aufgrund seines Willens. Es geht nicht um verschiedene Naturen[25], sondern um die Art und Weise, wie das göttliche Heilshandeln sich vollzieht. Elaine PAGELS hat dieses Thema nicht im Rahmen der valentinianischen Ethik entwickelt. Aber es ist offenkundig, daß der Gnostiker die pneumatische "Natur" nicht als den Grund seiner Erlösung betrachtet, sondern daß sie ihm zeigt, wie Gott ihn erlöst hatte. Dies ist gute paulinische Theologie, und wie bei Paulus wird tugendhaftes Leben dadurch nicht unerheblich.

4) Nicht alle Berichte über zügelloses Leben bei Sekten können oder brauchen als übertrieben oder falsch angesehen werden. Wenn Epiphanius sich an die ägyptischen Gnostiker erinnert, deren weibliche Mitglieder versucht hatten, ihm durch körperliche Hingabe ihr Evangelium nahezubringen, und deren Zeremonien in irgend einer Form sexuelle Orgien enthielten, dann dürfte seine mönchische Gesinnung einiges hinzugetan und verzerrt haben[26], aber ohne

---

24) The Johannine Gospel in Gnostic Exegesis: Heracleon's Commentary on John, Society of Biblical Literature Monograph Series 17, Nashville & New York 1973, S. 98ff.

25) S. auch unten S. 77.

26) Panarion 26. S. Jürgen DUMMER, Die Angaben über die gnostische Literatur bei Epiphanius, Pan.

jeden Anhalt an der Wirklichkeit wird der Bericht nicht sein. Glaubenswürdiger sind die Nachrichten des Clemens von Alexandria über die libertinistischen Lehren des jungen Epiphanes[27]. Aber seine Beschreibung gibt wenig Anlaß zu der Annahme, diese Lehre sei gnostisch gewesen. In Clemens' Zeit sind bei den Orthodoxen Gnostizismus und Libertinismus so sehr miteinander verknüpft, daß bloßer Libertinismus als Beweis für Gnostizismus angenommen werden konnte. Zum mindesten ist klar, daß solche Exzesse bei den Gnostikern Ausnahmen waren; sie sind kein Kriterium, nach dem man die ganze Bewegung beurteilen kann. Die jetzt zahlreich bekannt gewordenen gnostischen Originalwerke zeigen, daß das ethische Interesse der Gnostiker entschieden asketisch war.

Dies stellt das große Gewicht in Frage, das Hans JONAS auf den gnostischen Libertinismus gelegt hat[28]. Ihm geht es nicht um Polemik, sondern um Libertinismus als den reinsten und radikalsten Ausdruck einer metaphysischen Revolte. Das ermöglicht es ihm, Parallelen zum modernen Existentialismus und Nihilismus zu ziehen[29]. Wie Plotin und die Häresiologen glaubt auch JONAS, eine antikosmische Haltung bedinge, daß tugend-

---

haer. 26, in: Koptologische Studien in der DDR, Sonderheft WZ Martin-Luther-Universität Halle-Wittenberg 1965, S. 191 - 219.

27) Strom. III 2.5 - 9.

28) Gnosis und spätantiker Geist 1, FRLANT NF 33, 3. Aufl., Göttingen 1964, S. 233ff. und Teil 2,1 FRLANT NF 45, Göttingen 1966, S. 24ff.

29) The Gnostic Religion, The Message of the Alien God and the Beginnings of Christianity, 3. ed. Boston 1963, S. 320 - 340.

haftem Leben ein Wert abgesprochen werde. Aus Hinweisen besonders bei Irenaeus rekonstruiert er die metaphysische Grundlage, welche die Entwicklung dieses moralischen Nihilismus angeregt habe. Er akzeptiert die überaus tendenziösen Aussagen über gnostische Ethik bei Plotin und den Kirchenvätern als zuverlässig und besonders aufschlußreich für das gnostische Selbstverständnis.

Wenn unsere Kritik der antignostischen Polemik richtig ist, dann wird das gesamte Problem der gnostischen Ethik neu bedacht werden müssen. Grundlage der Untersuchung müßten in diesem Fall die gnostischen Schriften sein. JONAS' Rekonstruktion der ethischen Motivierung bei den Gnostikern kann nicht mehr Ausgangspunkt sein. Die koptisch-gnostische Bibliothek von Nag Hammadi hat die Problematik verschoben. Ihren sehr mannigfaltigen Schriften gemeinsam ist ein asketisches Interesse. Eine bedeutende ethisch-religiöse Schrift des Hellenismus ist darunter. Die neue Frage, die sich stellt, ist, in welchem Verhältnis gnostische und hellenistische Ethik stehen. Welche Aspekte übernahmen die Gnostiker von ihren hellenistischen Nachbarn und inwieweit veränderten sie sie? War die Askese bei den Gnostikern anders motiviert als sonst in der griechisch-römischen Welt jener Zeit[30]?

Als ein erster Schritt zur Beantwortung dieser Fragen[31] sollen die Sextus-Sprüche nach ihren ethi-

---

30) Für JONAS sind sowohl Libertinismus wie Asketismus durch Feindschaft gegenüber der Welt und ihren Schöpfern motiviert (Gnosis und spätantiker Geist 1, S. 204).

31) Der vorliegende Beitrag ist als Einleitung zu

schen Grundzügen mit drei anderen Traktaten von Nag Hammadi verglichen werden, mit den "Lehren des Silvanus" (VII,4), mit "Authentikos Logos" (VI,3) und mit "Testimonium Veritatis" (IX,3).

Die sahidische Version der Sextus-Sprüche ist nur zum Teil erhalten. Von den 451 Maximen, die Rufinus ins Lateinische übersetzt hat, sind die Sprüche 157 bis 180 und 307 - 397 teilweise oder vollständig vorhanden. Es ist so gut wie sicher, daß die dazwischenliegenden Maximen 181 - 306 ursprünglich nicht gefehlt haben, und dasselbe kann für die ersten 156 der Sammlung angenommen werden. Das Ende der sahidischen Version ist problematischer, da mehrere Zusätze zum griechischen Text bekannt sind. Der koptische Text weist bemerkenswerte Übereinstimmung mit dem von CHADWICK kritisch hergestellten griechischen Text auf. Die Übersetzung ist im allgemeinen geschickt und genau, wenn man berücksichtigt, wie schwierig es ist, griechische Gnomen mit ihrem kompakten Stil im Koptischen wiederzugeben. Die Übersetzung läßt keine besondere Tendenz erkennen; sie muß nicht von Gnostikern stammen[32].

Von den Themen der Sextus-Sprüche[33], die bei gnostischen Lesern besondere Beachtung gefunden haben dürften, steht die Forderung nach Enthaltsamkeit an

---

dieser größeren Aufgabe gedacht. Eine umfassende Studie wird voraussichtlich 1975 erscheinen.

32) Origenes ist ein Zeuge dafür, wie populär diese Sprüche in christlichen Kreisen waren (Contra Celsum VIII 30).

33) S. "The Moral Teaching of Sextus", in: H. CHADWICK, The Sentences of Sextus, S. 97 - 106.

erster Stelle. Wieder und wieder betonen die Maximen, daß man seinen Körper, d. h. die Leidenschaften, beherrschen muß, denn wenn die Begierden frei walten dürfen, kann es keine Gnosis geben. Das bedeutet, daß man sich lossagen muß von den Dingen des Körpers (67 bis 78). So überrascht es nicht, daß Sextus die Ehe negativ bewertet. Sie ist den Gläubigen zwar erlaubt, jedoch soll sie ein gemeinsamer Kampf um Enthaltsamkeit sein (239)[34]. Ehelosigkeit ist vorzuziehen, denn sie ermöglicht es dem Menschen, ein Beisasse Gottes zu werden (230a). Selbstverstümmelung kann notwendig werden, wenn ein Glied des Körpers zur Unkeuschheit verleitet (13 und 273). Natürlich erstreckt sich die Forderung der Enthaltsamkeit auch auf Dinge wie Nahrung, Kleidung, Geld, Schlaf und Sprechen.

Ein weiterer sehr charakteristischer Zug der Sextus-Sprüche ist die elitäre Haltung, die in ihnen zum Ausdruck kommt. Der Gläubige hat Zugang zu esoterischen Geheimnissen und wird so Mitglied einer Gemeinschaft von Auserwählten. Diejenigen, die die Gnosis Gottes haben, haben Teil an der göttlichen Natur und sind so von allen anderen Menschen abgehoben. Diese Gnosis schließt sowohl Selbsterkenntnis (398 und 446) als auch Kenntnis Gottes in subjektivem und objektivem Sinne ein. Das "Wort Gottes", das sie besitzen, darf nicht leichtfertig anderen mitgeteilt werden (350 bis 362). Die Gläubigen erkennen einander und unterstützen sich gegenseitig. Soziale Fürsorge für die Armen und Unterdrückten gehört zu den Aufgaben des Weisen.

---

34) Die damaligen Verteidiger der Ehe stimmten darin überein, daß sexuelle Beziehungen nur zum Zweck der Zeugung von Kindern erlaubt sein könnte.

Die Beziehung des Gläubigen zu Gott spielt eine grundlegende Rolle. Besitz des göttlichen Wissens bedeutet, daß der Weise gottähnlich geworden ist. Dies hat weitreichende ethische Konsequenzen. Gottähnlich sein verpflichtet dazu, Gottes Reinheit und Vollkommenheit wiederzuspiegeln. So sind Reue und Streben nach Besserung unabdingbar. Der Gläubige darf nicht nachlassen in seiner sittlichen Anstrengung, wenn er das Ideal erreichen will, zu werden was er ist: ein Sohn Gottes. Nicht mehr die Selbstverwirklichung, das Gemeinwohl, das Leben gemäß dem Naturgesetz oder dergleichen weltliche Ideale bestimmen das ethische Denken. Norm der Ethik ist etwas Absolutes geworden, die göttliche Natur selbst. Es ist deutlich, daß diese Haltung gut zu einer negativen Sicht des Lebens im Körper paßt. Offenkundig ist die Entwertung alles Weltlichen der Grund für die Wende zum Transzendenten. Sittliche Tugend ist aber nicht durch die antikosmische Einstellung belanglos geworden; vielmehr hat sie eine höhere Motivation erhalten.

Unter den Nag Hammadi-Schriften kommt der Traktat "Die Lehren des Silvanus"[35] dem Standpunkt und der Denkweise des Sextus am nächsten. Der Verfasser des

---

35) Er ist zur Zeit nur verfügbar in: The Facsimile Edition of the Nag Hammadi Codices, Codex VII, Leiden 1972, Tafel 90 - 118. J. ZANDEE, der zusammen mit M. PEEL eine englische Ausgabe des Werkes vorbereitet, hat eine Einleitung veröffentlicht, "Die Lehren des Silvanus", in: Essays on the Nag Hammadi Texts in Honour of Alexander Böhlig, Nag Hammadi Studies III, Leiden 1972, S. 144 - 155. Beide Herausgeber haben auch eine Einleitung in Englisch vorgelegt, "The Teachings of Silvanus from the Library of Nag Hammadi", NovTest XIV, 1972, S. 294 - 311.

Werkes war sehr wahrscheinlich kein gnostischer Schismatiker, sondern ein Christ der Alexandrinischen Schule; seine Theologie zeigt stoische und gnostische Einflüsse. Von Anfang an betont dieses Weisheitsbuch die Notwendigkeit, gegen die törichten Leidenschaften und gegen jegliche Bosheit zu kämpfen (84,18ff.). Enkrateia ist nicht weniger als bei Sextus die unverzichtbare Vorbedingung, wenn Nous und Logos das Leben regieren sollen. Die tierische Natur im Menschen muß hinausgeworfen werden, damit die Weisheit ihren rechtmäßigen Platz einnehmen kann (89,3). Zu dieser tierischen Natur gehören natürlich Begierde (105,22) und Lust (108,5). Das Böse und die Versuchung stecken nicht nur im Menschen oder genauer in seinem Körper; sie gehören zum Wesen der Welt als solcher. Darum muß der Mensch dieser Welt und den Herrschern der Finsternis entfliehen (102,30).

Silvanus teilt weiter die elitäre Haltung des Sextus. Die Menschheit ist aufgespalten in die, die sich durch Vernunft regieren lassen, und die, die Sklaven der Leidenschaft sind. Daß die Zugehörigkeit zu diesen Gruppen nicht auf Vorherbestimmung zurückgeführt wird, zeigt die Anthropologie des Silvanus (92,10ff.). Jeder Mensch besteht aus drei Teilen, aus dem göttlichen Nous, der Seele und dem Körper. Dies entspricht der Unterscheidung von Pneumatikoi, Psychikoi und Sarkikoi, wie wir sie besonders aus valentinianischen Quellen kennen. Die erste Gruppe wird durch das Göttliche im Menschen regiert. Die Psychikoi haben die Möglichkeit, zwischen der Vernunft und den Leidenschaften zu wählen. Die Sarkikoi lassen sich durch ihre tierische Natur leiten. Silvanus wendet sich durchweg an die Seele und ermahnt sie, die rechte Wahl zu treffen, sich zu bekehren und durch sittliche Anstrengung vollkommen zu werden.

Silvanus steht offenbar der valentinianischen Anthropologie recht nahe. So ist für ihn beispielsweise der ideale Mensch androgyn (93,9ff.)[36]. Auch spricht Silvanus vom Brautgemach, in dem die Vernunft erleuchtet wird (94,28). In einem Punkt geht Silvanus über den esoterischen Standpunkt des Sextus hinaus: er ermahnt, niemand zum Freund zu haben als Gott und, wenn man will, ganz für sich zu leben (98,5ff.).

Auch was die Beziehung zwischen dem Gläubigen und Gott betrifft, stimmen Silvanus und Sextus weitgehend überein. Da die Vernunft nach dem Bild Gottes geformt ist, trägt der Mensch das Göttliche in sich. Die ethische Forderung lautet daher, in Entsprechung zu diesem göttlichen Prinzip zu leben und alles beiseite zu schaffen, was sich ihm entgegenstellt. Wer seinen Verstand und seine Vernunft als leitende Prinzipien hat, ist Gott ähnlich (108,25f.). Durch sie erkennt er, was böse und was gut ist (115,27ff.). Dieser Ausgangspunkt der Ethik ist nicht von dieser Welt, doch ist er in der Form von Nous und Logos dem Gläubigen gegenwärtig.

"Authentikos Logos" (VI,3)[37] ist weniger deut-

---

36) Dies entspricht der Zusammengehörigkeit von Nous und Seele. Die Gefahr ist, daß man den männlichen Teil verliert.

37) M. KRAUSE und P. LABIB, Gnostische und Hermetische Schriften aus Codex II und Codex VI, Abhandlungen des Deutschen Archäologischen Instituts Kairo, Koptische Reihe Band 2, Glückstadt 1971, S. 133 - 149. S. besonders G. W. MACRAE, "A Nag Hammadi Tractate on the Soul", in: Ex Orbe Religionum, Studia Geo Widengren pars prior, Studies

lich christlich als Silvanus und gleichzeitig ausgeprägter gnostisch. Die Schrift enthält die gewöhnlichen Elemente des gnostischen Dualismus. Die Welt ist ein Ort, wo die Gnostiker nichts als Leiden und Angriffe des Teufels erwarten können. Der Körper kam aus der Begierde und die Begierde aus dem materiellen Wesen (23,17ff.). Ein Hinweis auf die bösen Erschaffer des Körpers (32,17ff.) erinnert an ein bekanntes gnostisches Mythologumenon, aber sonst sind kosmologische und mythologische Themen in dieser ethischen Homilie recht selten. Die geistigen Seelen haben ihren Ursprung in der himmlischen Welt und sind in den Körper geworfen worden (23,13ff.). Sie sind den unverständigen materiellen Seelen gegenübergestellt. Erlösung geschieht durch Erkenntnis der himmlischen Wurzel der Seele (22,26ff.).

Die fast orphische Verneinung des Körpers und der Welt führt aber nicht zu der Überzeugung, der Aufenthalt der Seele auf der Erde sei nur negativ zu bewerten. Auch ist die Dichotomie zwischen geistigen und materiellen Seelen nicht zur Lehre einer doppelten Prädestination entwickelt, in der die Auserwählten aufgrund ihrer Natur gerettet werden, die materiellen Seelen aber nicht am Heil teilhaben können. Noch wichtiger: die rettende Gnosis, die ein durch den Bräutigam gegebenes Heilmittel ist, schließt in keiner Weise aus, daß die Seele ihr Schicksal selbst bestimmen kann.

Authentikos Logos beschreibt die Seele, wie sie vor einer grundlegenden Entscheidung steht, die entweder zum Leben oder zum Tod führt (24,10ff.). Dies gilt

in the History of Religions XXI, Leiden 1972, S. 471 - 479.

nicht nur für die geistige Seele; jede Seele muß wählen, ob sie von ihrem himmlischen Vater erben will oder von ihrer irdischen Stiefmutter, zusammen mit ihren Stiefbrüdern, den Leidenschaften, Begierden, Vergnügen, der Eifersucht usw. (23,27ff.). Denn die Seele wurde mit diesen verwandt, als sie in den Körper kam. Diejenigen, die das Erbe der Stiefmutter wählen, werden Tieren ähnlich; sie werden zu materiellen Seelen (23,16ff.). Der Zeitpunkt, wann der Mensch vor diese Wahl gestellt wird, ist nicht deutlich. Man könnte sagen, daß der Traktat die Leser vor die Entscheidung stellt.

Freiheit und Verantwortlichkeit der Seele sind nicht beschränkt auf diese grundlegende Wahl. Sie realisieren sich weiter in dem Kampf, in dem jede Seele sich selbst findet. Obwohl dieser Kampf sich gegen den Teufel und seine bösen Mächte richtet, hat der himmlische Vater ihn gewollt, um seinen Reichtum und seine Herrlichkeit zu offenbaren (26,8ff.)[38]. Was die Seele angeht, so hat der Kampf den Zweck, die wahre Natur eines jeden Kämpfers aufzuzeigen. Die gerechte Seele wird durch dieses Ringen lernen, das Gewordene hinter sich zu lassen und sich ganz auf das Seiende zu richten. Die Waffe der Seele in diesem moralischen Kampf ist ihr Wissen, das ihr durch das Geschenk des Logos wiedergegeben wurde. Eine ähnliche Anschauung vom Logos kennen wir schon aus Silvanus. Auch dort ist er das göttliche Prinzip, das die Seele in ihrem Kampf führt. Es ist aus dem Vorangehenden deutlich, daß für den Verfasser des "Authentikos Logos" tugendhaftes

---

38) S. auch die Lehren des Silvanus, VII 112,18f. und 114,1f.

Leben nicht sekundär oder ohne Belang ist, sondern notwendig und für die Zukunft der Seele entscheidend.

Als letztes Beispiel für gnostische Ethik aus der Bibliothek von Nag Hammadi soll kurz das Testimonium Veritatis (IX,3) besprochen werden[39]. Der Traktat ist eines der besten Beispiele für christlichen Gnostizismus. Das Manuskript hat schwer gelitten, doch reicht das Vorhandene oder Wiederherstellbare für eine Analyse des Inhalts aus. Die Schrift ist scharf polemisch. Von Anfang an stehen diejenigen, die mit den Ohren des Herzens hören und die Geheimnisse verstehen können, und diejenigen, die nicht verstehen, in schroffem Gegensatz (29,6f.). Mit den Geheimnissen ist die tiefere Bedeutung der heiligen Schriften gemeint, die die orthodoxen Christen nicht zu ergründen vermochten.

Im Unterschied zu den drei Traktaten von Nag Hammadi, die oben diskutiert wurden, stellt das Testimonium Veritatis deutlich den alttestamentlichen Schöpfergott als neidisch (47,16), unwissend (47,20f.) und bösartig (47,29) hin[40]. Obwohl seine wahre Natur aus

---

39) Die Schrift ist noch unveröffentlicht. Die englische Ausgabe wird von S. GIVERSEN und B. PEARSON vorbereitet. PEARSON hat eine Übersetzung und einen Kommentar des wichtigen Abschnitts IX 45,23 bis 48,28 veröffentlicht, "Jewish Haggadic Traditions in The Testimony of Truth from Nag Hammadi (CG IX,3)", in: Ex Orbe Religionum, Studia Geo Widengren, pars prior, Numen Supplement 21, Leiden 1972, S. 457 - 470. Die folgenden Bemerkungen basieren auf dem Text, den PEARSON mir zur Verfügung gestellt hatte und den ich anhand von Photographien verbessert und weiter rekonstruiert habe.

40) Sextus und Silvanus unterscheiden nicht zwischen dem höchsten Gott und dem Demiurgen. Authentikos Logos spricht von den bösen Erschaffern des Körpers, beschäftigt sich aber nicht mit der Natur

der Geschichte vom Fall und aus Abschnitten wie Ex 20:5 offenkundig ist, wird sie von denen, die an ihn glauben - d. h. den Juden und den orthodoxen Christen - nicht erkannt, denn er hat sie verblendet (48, 2ff.)[41]. Dies hätte, wenn es nach Plotin und den Häresiologen ginge, zu einer antikosmischen Ethik der Revolte führen müssen. In der Tat ist der Traktat antinomistisch, aber die kausalen Beziehungen sind anders als erwartet. Das Gesetz wirkt verderblich (29, 26f.), jedoch nicht weil der Gesetzgeber böse ist. Vielmehr ist für diese enkratitische Schrift das Ehe- und Zeugunsgebot der Grund für die Verwerfung des Gesetzes (30,2ff.).

Die wirkliche ethische Norm der Schrift ist der himmlische Zustand, in dem es keine Begierde und keine Ehe gibt[42], sondern Unbeflecktheit und Vollkommenheit (30,1 und 31,9f.). Die Herrschaft fleischlicher Zeugung hat ihr Ende gefunden, als Jesus auf den Jordan hinabstieg und die Wasser vor ihm zurückwichen (30,18 bis 31,5). Doketismus und enkratitische Lebensweise sind hier auf interessante Weise verbunden. Das himmlische Leben, das Jesus lebte und lehrte, ist gleichzeitig der Weg zur Erlösung: der Logos, der lebendig macht (34,5). Nur diejenigen, die gegen die Leidenschaften kämpfen und sich von der Welt lossagen, kön-

---

des alttestamentlichen Gottes.

41) PEARSON übersetzt 48,2ff. unrichtig: "For great is blindness of the commandments; and they did not reveal him"; statt dessen muß es heißen: "For great is the blindness of the readers, and they did not know him" (Jewish Haggadic Traditions", S. 460).

42) Die Exegese von Mk 12:18 - 27 spielt eine Rolle in der Schrift.

nen an den Archonten der Finsternis vorbeigelangen, die die Menschheit gefangenhalten (30,15ff.). Unter dem Gesetz stehen heißt, die Welt unterstützen und versklavt sein (30,12ff.). So ist die enkratitische Lebensweise nichts, was man je nach Neigung annehmen oder ablehnen könnte, sondern vielmehr die wesentliche Vorbedingung, wenn man aus diesem bösen Ort in die himmlische Heimat gelangen will.

Diese transzendente Ethik, die Sextus, Silvanus, Authentikos Logos und Testimonium Veritatis charakterisiert, läßt sich auch in anderen Schriften von Nag Hammadi nachweisen. Insbesondere sind hier "Die Exegese über die Seele" (II,6), "Das Buch des Thomas des Athleten" (II,7) und "Die Akten des Petrus und der zwölf Apostel" (VI,1) zu erwähnen, aber auch viele der mythologisch-gnostischen Traktate enthalten Abschnitte und Aussagen, die von den Gnostikern ein vollkommenes tugendhaftes Leben fordern.

Man kann fragen, ob diese verschiedenen Schriften nicht einfach wegen ihrer Betonung der Askese in die Codices von Nag Hammadi aufgenommen wurden. Doch mag hier zwar der Grund zu suchen sein, weshalb so offenkundig nichtgnostische Schriften wie Sextus, Silvanus und die Akten des Petrus und der zwölf Apostel Aufnahme fanden; die Auswahl der Schriften, die nur gelegentlich auf das ethische Tun zu sprechen kommen, wird hierdurch nicht erklärt. Die beste Erklärung für die Mannigfaltigkeit der Bibliothek ist immer noch die, daß ihre Besitzer Gnostiker waren, die nichtgnostische Werke, die ihre asketischen Anschauungen teilten, in ihre Sammlung heiliger Bücher aufnahmen. Darüber hinaus sind die gnostischen Traktate in der Bibliothek inhaltlich so verschiedenartig, daß die Annahme berechtigt ist, wir hätten eher einen Querschnitt als eine einseitige Auswahl vor uns[43].

Es ist nunmehr möglich, einige allgemeine Schlußfolgerungen zu ziehen[44]. Die Ethik der Gnostiker war viel weniger negativ motiviert, als man allgemein annimmt. Gnostische Praxis ist nicht in erster Linie Ausdruck einer Revolte gegen die Welt und ihren inferioren Erschaffer, sondern sie ist Verwirklichung einer himmlischen Sittlichkeit, die sich an nichts Geringerem orientiert als an der Natur des höchsten Gottes. Selbstverständlich gehört zu ihr das negative Element der Abkehr von der Welt und den Ansprüchen des Körpers; aber dies dient dem Ziel, rein und vollkommen, d. h. gottähnlich zu werden.

Zweitens läßt sich eine solche deterministische gnostische Anthropologie, die tugendhaftes Leben unerheblich macht, in den in Frage stehenden gnostischen Büchern nicht finden. Im Gegenteil: die asketische Lebensweise ist wesentlich für die Erlösung der Gnostiker. Es gibt keine Erlösung aufgrund der pneumatischen Natur. Wer den göttlichen Logos besitzt, hat nicht

---

43) DORESSE geht vielleicht zu weit, wenn er meint, es handle sich um die Texte, die in den Sekten am stärksten verbreitet waren (The Secret Books, S. 252).

44) Solche Schlüsse können nicht beanspruchen, für alle Formen des Gnostizismus gültig zu sein. Die gnostische Bewegung war zu verschiedenartig, und die Quellen sind zu beschränkt, als daß allesumfassende Verallgemeinerungen möglich wären. Was man sagen kann, ist, daß sich aus den verfügbaren gnostischen Quellen, soweit sie relevant sind, das im folgenden gezeichnete Bild ergibt.

Heilssicherheit, sondern die heilige Pflicht, dem göttlichen Prinzip gemäß zu leben. Wenn die Häresiologen von Determinismus berichten, beruht das offenbar auf einem Mißverständnis gnostischer Terminologie.

Wenn diese Analyse und Rekonstruktion der gnostischen Ethik richtig ist, dann ergeben sich weitreichende Konsequenzen für die Untersuchung des Phänomens Gnosis. Erstens dürfte die Methode, wie man bisher im Neuen Testament und in den rabbinischen Schriften gnostische Gegner aufzuspüren und zu identifizieren suchte, viel von ihrer Tragfähigkeit verloren haben. Man ging so vor, daß man jede Warnung von unsittlichem, gesetzwidrigem Handeln als Hinweis auf Gnostizismus nahm[45]. Daß der Gnostizismus bei der Frage nach den Anfängen des Christentums eine Rolle zu spielen hat, soll nicht geleugnet werden; doch sollte nicht mehr selbstverständliche Voraussetzung bei der Diskussion sein, daß gnostisches Denken und Handeln die Tendenz hatte, amoralisch zu sein.

Zum anderen erhält die Frage nach dem hellenistischen Hintergrund des Gnostizismus neues Gewicht. Das jenseitsgerichtete asketische Ideal, das die Gnostiker offenbar vertraten, ist eher aus Anschauungen ihrer griechisch-römischen Umwelt entstanden als im Gegen-

45) Die oben erwähnte Gewohnheit, Gegnern unmoralisches Handeln zuzuschreiben, hat so die Folge, daß die Anzahl der Gnostiker sich vervielfachte. Ein Beispiel ist die Identifikation der Irrlehrer im Judasbrief; s. meinen Artikel "The Epistle of Jude in the History of Heresiology", S. 142f. Es gibt kaum ein neutestamentliches Buch, das nicht von den Kommentatoren auf irgendeine Weise mit Gnostikern in Verbindung gebracht wurde.

satz zu ihnen. An den Sextus-Sprüchen läßt sich gut erkennen, auf welchen Gebieten hellenistische Ethik die Gnostiker beeinflußt hat. Wie dieser Vorgang im einzelnen ablief und in welchem Ausmaß die Gnostiker hellenistische Elemente modifizierten, muß Gegenstand weiterer Untersuchungen sein[46].

---

46) Die umfassende Studie, die ich gegenwärtig vorbereite, wird diese Aufgabe für die koptisch-gnostische Bibliothek von Nag Hammadi durchführen.